Blodyn Tatws

Argraffiad cyntaf: Gorffennaf 1998

Rhif Llyfr Rhyngwladol: 0 86243 481 3

Clawr: Elgan Davies, Cyngor Llyfrau Cymru

Cyhoeddwyd ar ran
Llys Eisteddfod Genedlaethol Cymru
ac argraffwyd ar bapur di-asid a rhannol eilgylch
gan Y Lolfa Cyf., Talybont, Ceredigion SY24 5AP
e-bost ylolfa@ylolfa.com
y we www.ylolfa.com
ffôn (01970) 832 304
ffacs 832 782
isdn 832 782

EIRUG WYN

Blodyn Tatws

yLolfa

I'r genod yn fy mywyd,
Gwenda
Dwynwen a Rhiannon

"Credu'r rhith a gwadu'r sylwedd,
codi cestyll ar anwiredd,
rheini'n chwalu yn y diwedd;
amser yn mynd."
    – Dafydd Iwan

"They're coming to take me away, ha-ha!"
    – Napoleon XIV

Pennod 1

HYD YN OED wedi cwblhau'r draffordd rhwng Pwllarfon a Chaerheli, ni fedrai'r un teithiwr talog beidio â gweld y cwt sinc, am ei fod yn gwt mor anghyffredin o fawr – a hyll.

Taerai rhai o drigolion hŷn Llandwfog mai o danchwa Hong Kong yn '99 y daethai – roedd o mor hen â hynny – ond mynnai eraill mai coel gwlad oedd y stori honno, ac i'r chwedl gychwyn oherwydd mai disgynnydd union-gyrchol i ffoadur o'r coloni fflatiedig hwnnw oedd yn rhedeg ei fusnes electroneg ohono. Ac roedd o'n fusnes llewyrchus, er gwaetha'r ffaith mai'r breuddwydiwr Wang-Ho Saunders-Greenham oedd yn berchen arno erbyn hyn.

Dyma stori Wang-Ho.

Chwe mis i mewn i'r mileniwm newydd, cyraeddasai taid Wang-Ho – gŵr o'r enw Wing-Ha – draeth Abersedach wedi iddo fo, a saith ar hugain Hong Kongiwr arall, rwyfo cwch bychan o harbwr Hong Kong yn '99. Wedi deunaw mis o fwyta gwymon sych a myrdd o bysgod seimllyd, amrwd, golwg go druenus oedd arnynt yn cyrraedd tir Gwlad yr Awdlau Gwynion a'r Grwpiau Saesneg. Doedd gan Wing-Ha ddim i'w enw ond y dillad oedd ar ei gefn, a hen hosan sidan, ddu yn llawn sofrenni melyn a roddwyd i hen-nain iddo gan un aelod nwydwyllt o deulu brenhinol Lloegr hanner canrif ynghynt.

Pan gnociodd Wing-Ha ar ddrws Gwêl-y-don, Cyrn Coch, a disgyn yn un swp gwlyb i freichiau cryfion, mwythlyd, yr hudolus, lygatddu Cedora Hughes, ychydig a wyddai y byddai eu cyfarfyddiad trawmatig yn esgor o'r foment honno ar garwriaeth wyllt a genedigaeth bachgen bychan, Weng-Hi Greenham, ymhen y flwyddyn.

Rhodd gan ei dad (yn unol â thraddodiad hen deuluoedd pendefigaidd de-orllewin Hong Kong) oedd enw cynta'r baban, Weng-Hi, ond roedd ei syrnâm yn brawf o ystyfnigrwydd ei fam i dorri rhywfaint ar y traddodiad hwnnw – ac yn atgoffeb barhaol o rai dyddiau a dreuliasai Cedora yn aduniad wyresau merched Coman Greenham.

Wrth ei waith beunyddiol, uwch-brosesydd cyfrifiaduron *cyber-pets* fuasai Wing-Ha yn Hong Kong, a doedd ryfedd iddo felly, wedi setlo gyda Cedora yng Nghyrn Coch, ddefnyddio cynnwys ei hosan sidan i gychwyn ei fusnes bach ei hun.

Gyda chaniatâd perchennog y tir, cododd hen gwt sinc iddo'i hun ar fin y briffordd ger adwy Henblas Glanllifon, a hyfforddi ei fab bychan yn drwyadl yn y grefft o greu bodau bychain electronaidd. Gan fod Cedora Hughes hithau yn meddu ar B.A. (Anrhydedd) yn y Gymraeg o Goleg Aberystwyth, ac wedi mopio ar weithiau llenyddol Saunders Lewis fe drwythodd hi ei mab yn llenyddiaeth canrif Saunders. Cyfuniad od, ond cyfuniad, serch hynny, a barodd i'r mab ddisgleirio'n ddeublyg yn ei yrfa addysgol. Disgleirio cymaint, fel mai ef oedd y bod dynol cyntaf i gael graddau cyfun (Anrhydedd) mewn Llenyddiaeth Gymraeg ac Uwch Fagno-Electroneg ym Mhrifysgol Wing-Ha, Cyrn Coch yn 2022.

Yn ir o'r coleg, bwriodd Weng-Hi Greenham iddi i ehangu ymerodraeth fechan ei dad. O fewn blwyddyn, roedd diweithdra o fewn radiws o ugain milltir i'r Wing-Ha Electronic Company yn 0%, a'r cwmni wedi newid ei enw yn Wing-Ha Weng-Hi Electronic Co.

Tua'r adeg hon yr adeiladwyd y wibffordd ddeuol o borthladd rhyngwladol prysur Caerheli i gysylltu â'r A55 ger wal y Faenol; a threuliodd Weng-Hi, yn blentyn, oriau bwygilydd ger cwt ei dad yn gwylio'r cerbydau diddiwedd yn rhuo heibio iddo, pob un ar ei siwrnai fach ei hun, yn cludo'i berchennog i ben ei daith.

Adeiladasai Wing-Ha gompiwtar anferth iddo'i hun yn yr hen gwt sinc. Yn ganolog i'r compiwtar yr oedd system a ddatblygasai Wing-Ha ei hun, sef Nigmars Electronig Seicoddiledryw (gyda 4) Togl Argelog, a dyna sut y daeth Wing-Ha i alw'i gompiwtar yn NESTA. Dyna hefyd a barodd iddo gyfeirio wedi hynny at ei gompiwtar fel 'hi'.

Treuliodd flwyddyn yn ei chreu, a deunaw mlynedd arall yn bwydo i grombil NESTA bob fformiwla gemegol, biolegol, mathemategol, ffisegol a gwyddonol oedd ar gael. Yn y cof (tri chan 'zigabeit) roedd dwy djipsen a adwaenai lais Wing-Ha a Weng-Hi ac a ymatebai i bob cwestiwn o'u heiddo. A nhw oedd yr unig ddau a ddeallai NESTA.

Erbyn 2025, mor llewyrchus oedd y busnes fel y prynodd y cwmni Henblas Glanllifon a'i holl diroedd, a'i droi yn gartref moethus i Wing-Ha a'i deulu. Adeiladwyd hefyd ffatri anferth newydd sbon ar gaeau ffrwythlon Glanllifon, nid nepell o'r hen gwt sinc.

*   *   *

Erbyn hyn hefyd, roedd NESTA mor anhepgorol i'r Wing Ha Weng-Hi Electronic Co. ag roedd Wing-Ha neu Weng-Hi eu hunain. Gallai Wing-Ha gerdded i'w gwt unrhyw awr o'r dydd neu'r nos a gofyn i NESTA ddatrys unrhyw broblem iddo.

Un diwrnod, yn y dyddiau cynnar, roedd Wing-Ha yn myfyrio uwchben anfoneb a ddanfonwyd iddo gan y Silicon Valley Micro-chip Co. Inc. am ddwy filiwn o ddoleri. Penderfynodd holi NESTA.

"NESTA, mae pob *cyber-pet* yn cymryd deunaw tjip ar hugain, a phob model uwchraddol yn cymryd deugain a saith, faint o djips a ddefnyddiwyd gennym i gyflenwi'n cynnyrch yn ystod y flwyddyn a aeth heibio?"

Daeth yr ateb mewn tair eiliad.

"Deugain miliwn saith gant ac ugain o filoedd wyth gant tri deg saith."

Y cwestiwn nesaf.

"NESTA, dadansodda bob anfoneb a dderbyniwyd gennym gan y Silicon Valley Micro-chip Co. Inc. Fedrwn ni yma gynhyrchu tjips yn rhatach?"

"Negyddol, Wing-Ha. Mae'r elfennau sydd yng ngwneuthuriad pob tjip yn gwneud cynhyrchu tjips o'r ansawdd yma yn aneconomaidd – o leiaf yn Henblas Glanllifon."

"Beth yw fformiwla eu gwneuthuriad?"

"Z3De89He8OxS20Au."

"Beth sy'n gwneud eu cynhyrchu mor ddrud?"

"Mewnforio *tribalite* o Dde America a'i gludo i harbwr Caerheli. Mae'r deunyddiau eraill i gyd yn rhad ac i'w cael ar y tir mawr."

Bu Wing-Ha yn pendroni uwchben hyn am fisoedd, yn wir am flynyddoedd lawer. Yn y cyfamser daethai Weng-Hi ato i'r busnes.

Roedd deuoliaeth ryfedd yn perthyn i Weng-Hi Greenham. Hyd yn hyn, dau beth yn unig fu'n sbardun parhaol iddo drwy'i oes. Y cyntaf oedd chwantau'r cnawd. Yr ail oedd ei allu rhyfeddol i lwyddo ym myd busnes cystadleuol ei dad.

Nid awn i fanylu yma am y cyntaf. Digon yw dweud i Weng-Hi un bore ddeffro i sŵn wylofain plentyn ar riniog drws ei gartref newydd yn Henblas Glanllifon. Ymhlyg yn siôl y baban newydd-anedig yr oedd nodyn (nad gweddus adrodd ei gynnwys yma) ond a dadogai beichiogrwydd ei fam ar Weng-Hi Greenham gyda gwahoddiad nid angharedig iddo wneud a fynnai ag o. O edrych yn unig ar wynepryd y bychan, ni allai Weng-Hi wadu'i gyfrifoldeb. Ni allai yn ei fyw ddyfalu ychwaith pa un o forynion glân y fro oedd y fam. Cafwyd pwyllgor un noson i enwi'r bychan. Ac felly y daeth Wang-Ho Saunders-Greenham i fyw i Henblas Glanllifon. Dod yno at ei dad Weng-Hi, a'i daid a'i nain, Wing-Ha a Cedora Hughes. A Ron.

Ron ffyddlon.

Ron gydwybodol.

Ron holl bresennol.

Ron oedd y gwas, y gweinydd, y bwtler, y pentrulliad – yn wir y fo a wnâi beth bynnag a ofynnid iddo gan unrhyw un o deulu'r Plas.

Gydag amser, pylodd diddordeb Weng-Hi yn llwyr mewn pleserau cnawd-chwantol a daeth NESTA a busnes ei dad i feddiannu ei holl amser.

Os mai NESTA ffyddlon fu'n anuniongyrchol gyfrifol am yr ehangu sylweddol a fu ar y Wing-Ha Electronic Co. yn ystod blynyddoedd cynnar ei ffurfiant, yna'n sicr bu hynny'n wir unwaith eto yn ystod blwyddyn gyntaf Weng-Hi newydd-raddedig yn y busnes.

Ond roedd cynhyrchu'r micro-djips yn dal yn chwilen ym mhen Wing-Ha. Styfnigrwydd yn fwy na dim arall fu'n gyfrifol am iddo adeiladu tjips-brosesydd bychan, a dechrau budr-gynhyrchu rhai miloedd at ei ddefnydd ei hun, ond roedden nhw'n dal yn ddrud. Fel y dywedasai NESTA, mewnforio'r *tribalite* felltith oedd yn costio ond, o leiaf, gyda'r adnoddau o fewn ei uned gynhyrchu ei hun, doedd o ddim yn llwyr ddibynnol ar fympwy na phrisiau nac arafwch y cwmnïau o'r Amerig.

Rhoddodd Wing-Ha'r cyfrifoldeb am ehangu'r ochr cynhyrchu tjips ar ysgwyddau ei fab. Byddai cynhyrchu digon ohonyn nhw'n rhad at ddefnydd ei gwmni ei hun yn torri costau mewnforio'n ddychrynllyd. Pe gallai gynhyrchu ychwaneg at eu gwerthu ar y farchnad agored, bonws fyddai hynny.

Bwriodd Weng-Hi iddi gorff ac enaid. Âi i'r cwt sinc bob bore am chwech ac ni ddeuai oddi yno tan berfeddion nos. Yn wir cymaint oedd ei awch am i'r cwmni lwyddo fel y gadawodd y cyfrifoldeb am godi ei fab, Wang-Ho, yn llwyr i Wing-Ha a Cedora. Anaml y gwelid ef wrth y bwrdd bwyd – byddai wedi mynd i'r cwt cyn i neb godi yn y bore ac anaml y dychwelai cyn i bawb glwydo. NESTA oedd ei gymorth hawdd ei gael mewn cyfyngder. Hi hefyd fu'n ysbrydoliaeth iddo.

Un dydd daeth syniad iddo.

"NESTA? Allwn ni ddefnyddio rhywbeth heblaw *tribalite* i wneud tjips?"

"Negyddol, Weng-Hi."

"Oes yna ddeunydd arall tebyg ar gael?"

"Cadarnhaol, Weng-Hi."

"Beth ydi o?"

"$Ca23Ch8UCi2$, Weng-Hi."

"A'r elfennau?"

"Llwch llechi, *azytnomene* ac Orep wedi'i dreulio."

"Orep?"

"Orep yw enw poblogaidd cwmni Bowowbitch ar eu bwyd ci newydd. Byddai miligram o Orep wedi'i dreulio ynghyd â saith deg gram o lwch llechi wedi ei gymysgu â phwynt pump miligram o *azytnomene* yn creu tjips o well ansawdd na rhai Silicon Valley. Bydd yn rhaid eu pobi am deirawr ar gant pum deg gradd canradd. Mi fyddan yn ysgafnach ac yn haws eu tyllu na'r rhai sy'n cynnwys *tribalite*. Byddid hefyd yn bosib eu hailgylchu os oes nam arnynt."

Roedd Weng-Hi yn syfrdan. Yr ateb i'w broblem, a'r allwedd i ehangu oedd cachu ci!

"NESTA, faint fyddai cost cynhyrchu biliwn o tjips mewn blwyddyn gan ddefnyddio ugain o bobl, a thri phopty saith metr ciwbig yn rhedeg ar egni'r môr? Rho'r ateb mewn doleri."

"Dwy filiwn saith gan mil tri chant ac wyth o ddoleri, Weng-Hi."

Bu bron i Weng-Hi â neidio mewn llawenydd pan glywodd y swm, ond penderfynodd weithio am ychydig eto ar ei gynllun cyn ei ddatgelu i'w dad. I'w feddwl daethai chwip o syniad eiriasboeth, a gwyddai y byddai'n rhaid iddo ildio'i ddyddiau a'i nosweithiau hyd nes y pylai'r tân ac y byddai'r syniad yn gynllun busnes ar bapur.

Yna, un dydd, pan oedd Taid a Nain a Wang-Ho yn bwyta'u cinio o datw-smash, corn-bîff, nionod amrwd a chabaets coch ym mharlwr bwyta'r Henblas, a Ron ffyddlon yn gweini arnynt, clywyd bloedd orfoleddus yn diasbedain o gyfeiriad y porth ffrynt.

"Wing-Ha! Wing-Ha! Tyrd ar frys!"

I'r ystafell rhuthrodd Weng-Hi. Gan anwybyddu Wang-Ho a Cedora a Ron yn ôl ei arfer, gafaelodd yn llawes ei dad a'i dywys ar garlam tua'r cwt sinc, a NESTA. Roedd Wing-Ha yn syfrdan. O'r diwedd! Roedd ei fab disglair wedi dileu'r angen am brynu micro-djips – gallai'r cwmni yn awr eu cynhyrchu. Ac nid yn unig eu cynhyrchu at eu dibenion eu hunain, ond eu gwerthu ledled y byd hefyd.

Ond nid cynhyrchu'r tjips yn unig oedd ar feddwl Weng-Hi. A'i ddychymyg yn drên, aeth ati'n syth bìn i weithio ar y cyfnod nesaf yn natblygiad y cwmni.

O fewn y mis, datgelodd Weng-Hi ei ddyfais newydd i'r byd a'r betws. Roedd o wedi datblygu'r SNIFFIADUR cyntaf. *Cyber-pet* rhyfeddol oedd hwn a fedrai arwain ei reolwr at bob lwmp o faw ci o fewn milltir iddo.

Fis yn ddiweddarach, ac roedd y SNIFFIADUR ym meddiant pob cyngor sir, tref a chymuned ym Mhrydain gyfan, a baw ci wrth y tunelli yn cyrraedd Henblas Glanllifon i'w ailgylchu'n ficro-djips a werthid dros y byd i gyd.

Codwyd estyniad sylweddol i'r ffatri newydd amlbwrpas ar diroedd yr Henblas ac adeiladwyd crasdy gyda saith popty 500 zegawatt ger traeth Dinas Nunlle. A bwriodd Wing-Ha a Weng-Hi iddi, gewyn ac asgwrn, i ehangu'r busnes. Erbyn i Wang-Ho gyrraedd oedran addysg bellach, roedd y Wing-Ha Weng-Hi Electronic Co. yn cyflogi bron bedwar cant o weithwyr amser llawn, a deucant arall yn rhan-amser.

Afraid nodi i Wang-Ho gael mabolaeth freintiedig. Etifeddasai ddoniau micro-electroneg, ac uwch-fagneteg electronig ei dad a'i daid, a disgleiriodd mewn llenyddiaeth Gymraeg fel ei dad a'i nain. Ond yn wahanol iawn i Wing-Ha a Weng-Hi ni ddangosai Wang-Ho unrhyw ddiddordeb na thueddiadau o fath yn y byd tuag at y rhyw deg. Yn wir, i'r gwrthwyneb yn hollol. Parai hyn ofid nid bychan i'w daid, ei nain a'i dad.

Yr unig ferched yn ei fywyd oedd ei nain a NESTA.

Ond os nad oedd ganddo gyfeillion, byddai'r Wang-Ho ifanc yn dychmygu ffrindiau, ac yn chwarae a byw sefyllfaoedd y byddai'n darllen amdanynt. Ac roedd ganddo'i loches ei hun. Yn ei ystafell wely yr oedd cwpwrdd anferth – y cwpwrdd hwn oedd ei ffau, ei loches, ei gysur.

Ni wyddai neb am ei ffau – neb, hynny yw, ar wahân i Ron. Ron oedd wedi ei gynorthwyo i gasglu'r defnyddiau. Ron oedd wedi rhedeg yma a thraw. Ac yn y blynyddoedd ffurfiannol rheini, roedd Ron wedi magu a meithrin perthynas ryfeddol gyda Wang-Ho.

Fel anrheg i Wang-Ho ar ei ben blwydd yn ddeuddeg oed, rhoddodd Wing-Ha djip yng nghof NESTA a oedd yn ymateb i lais Wang-Ho. Treuliai'r bychan bob munud sbâr yn holi NESTA'n dwll, ac felly yr ehangodd ei wybodaeth ei hun, nid yn unig y tu hwnt i ddeall ei gyd-ddisgyblion, ond hefyd y tu hwnt i wybodaeth ei athrawon. A hyn a'i gwnaeth yn esgymun yn yr ysgol.

O'r herwydd nid oedd ganddo gyfaill cyfoed ag ef yn y byd ac nid adnabu lencyndod naturiol. NESTA a Ron oedd ei gyfeillion mawr ac, yn achos NESTA, ni allai'r gyfeillach honno ymestyn y tu hwnt i gyfathrach feddyliol, ddeallusol. Yn achos Ron, datblygodd yn berthynas dad-a-mab bron. Yn Ron yr ymddiriedai'i gyfan.

Yn dair ar ddeg oed, datblygodd Wang-Ho y *cyber-pet* cyntaf erioed i gynganeddu, sef KWRWPGLO.

A dyma sut y bu.

Wrth fyfyrio yn y cwt un dydd, daethai Wang-Ho i'r casgliad mai proses fathemategol oedd cynganeddu, a chan ei bod hi'n bosib trosglwyddo unrhyw broses fathemategol i ficro-djips, dyfeisiodd ychydig o fformiwlâu gyda chymorth NESTA, ac yn hwyrach y diwrnod hwnnw galwodd ar ei daid a'i dad ato a gosod ei gynllun busnes cyntaf un ger eu bron.

Y canlyniad fu i'r Wing-Ha Weng-Hi Electronic Co. brynu hawliau holl weithiau cynganeddol Kerry Wyn Jones, Robbie Williams Parry a Gerald Lloyd Owen oddi ar ysgutorion eu hewyllysiau – ac felly y datblygwyd KWRWPGLO.

Mewnbwniodd Wang-Ho eu holl linellau cynganeddol i'w brif gyfrifiadur a chreodd fega-fanc data o ddeuddeng miliwn gigabeit. Cywasgodd y cyfan i un bwrdd cylched yn cynnwys pedair micro-djip – un yr un i gynnwys gweithiau'r beirdd a enwyd, a'r llall i gynnwys pob llinell o gynghanedd a gyhoeddwyd erioed gan bob bardd Cymraeg a oedd erbyn hyn y tu hwnt i fyd hawlfreintiau.

Ond yr hyn a wnaeth ei filiynau i Wang-Ho a chwmni ei dad a'i daid, ac a lansiodd y cwmni yn fyd-eang, oedd datblygu apKWRWPGLO.

Gwyddai Wang-Ho bod potensial eang iawn i'w greadigaeth pe gallai ddatblygu'r gynghanedd, a'i haddasu ar gyfer unrhyw iaith yn y byd; felly gyda chymorth ei daid a ROM-laser o Eiriadur yr academydd o Tsieina, Bruce-Li, dechreuodd weithio ar fersiwn Tsieineeg.

Cofiai Wang-Ho'n iawn yr ias a aeth drwy'i gorff pan glywodd gynghanedd lusg gyntaf apKWRWPGLO yn yr iaith Tsieineeg:

"Iong wai hing, weni wingo"

Ac yn ddiweddarach yr un dydd, daeth yr englyn cyntaf:
"Kai twng wong has so boncin – ham maida
mwi hydwin cnykin
hew foo khol hami foo kin
hew anka meenoo ankin."

Go brin fod neb wedi rhag-weld y ffrwydrad o ymateb a ddaeth i ganlyn ei ddalen gyntaf i hysbysebu apKWRWPGLO ar y we fyd eang. Daeth archebion am chwe miliwn o apKWRWPGLOs yn ystod yr wythnos gyntaf yn unig. Dilynwyd y fersiwn Tsieineeg gan un Saesneg, un Ffrangeg, un Almaeneg, un Sbaeneg ac ymlaen. Buan y daeth http: //www. Hahiho.llywelyn.com. yn llinell boethaf y we fyd eang.

Canlyniad hyn oll fu blynyddoedd o ehangu dybryd. Ceisiai Weng-Hi a Wing-Ha ffrwyno creadigrwydd Wang-Ho, ond wedi cau'i hun yn yr hen gwt brown, roedd y syniadau'n dod iddo'n feunyddiol feunosol. O fewn blwyddyn roedd Wang-Ho wedi datrys rhai o broblemau mwyaf dyrys degawdau os nad canrif o ffraeo ac ymgyrchu, ac roedd Weng-Hi a Wing-Ha wedi troi'i greadigaethau yn filiynau ychwanegol o euros i'r Wing-Ha Weng-Hi Electronic Co.

Fel gwobr cafodd Wang-Ho ei gerbyd cyntaf – Jaguar XJ575 – ac ychwanegwyd ei enw yntau at enw ei daid a'i dad, a galwyd y cwmni yn Wing-Ha Weng-Hi Wang-Ho Electronic Co. Ac nid oedd ball ar ei greadigrwydd. I Awdurdod Cenedlaethol Darlledu Cymru (yr AC/DC) datblygodd Wang-Ho ddau *cyber-pet* – PERO1 a PERO2. O blygio microffon i brif borth PERO1, gallai hwnnw gywiro camdreigladau cyn eu darlledu. Yn yr un modd, gallai PERO2 gywiro camynganiadau.

I Awdurdod Rheoli'r Gymraeg (yr ARG) datblygodd RECO – *cyber-pet* a gyfieithai ar y pryd. Hollt eiliad yn unig wedi llefaru brawddeg wrth RECO deuai'r cyfieithiad mewn dewis o saith ar hugain o ieithoedd.

A dyna pryd y dechreuodd masnachwyr a gwleidyddion y byd gymryd diddordeb yn y Wing-Ha Weng-Hi Wang-Ho Electronic Company. Deuai negeseuon ffôn a ffacs, gwe a rhyngrwyd atynt yn feunyddiol. Trowyd Henblas Glanllifon yn ganolfan gynadledda a gwesty moethus, drudfawr. Gyda chymorth y Llywodraeth Genedlaethol ym Machynlleth, uwchraddiwyd Maes Awyr Dinas Nunlle yn un rhyngwladol a daeth cornel fechan anhygyrch o Arfon yn brif fecca pererinion a darpar *entrepreneurs* y byd.

Roedd y teulu wrth eu boddau. Tair cenhedlaeth, pob un â'i phriod faes ei hun, yn cyfrannu at lwyddiant y cwmni, a'r ieuengaf ohonynt, Wang-Ho, heb eto gyrraedd ei ddeg ar hugain.

Ond ow!

Ow! Ow!

A theirgwaith ow!

Un dydd melltithiwyd y teulu bychan â thrasiedi o faintioli pla mosesaidd. Tra oedd Wing-Ha a Weng-Hi yn arsyllu, o'u hofrennydd, ar y dichonoldeb o agor uned ficro-djips ddiwylliannol ar hen safle Cae'r Gors yn Rhosgafran bu damwain erchyll. Plymiodd yr hofrennydd i'r ddaear, ac wedi'r ddamwain honno doedd yna ddim Wing-Ha na Weng-Hi mwyach. Yn belen o dân, toddasant i'r ddaear, ac esgynasant i'r Dyffryn Silicon mawr yn y nen, gan adael o'u holau fusnes llwyddiannus, ac etifedd breuddwydiol, dawnus a gwyryfol …

Mawr fu'r sioc a mwy fu'r galar yn Henblas Glanllifon a'r cyffiniau. Yng Nghaerdydd, plymiodd indecs yr FT saith gan pwynt. Ofnai siarcs y ddinas ganlyniad colli brêns busnes Wing-Ha a Weng-Hi.

Doedd hi ddim yn syndod i neb yn y byd (nac yng Nghyrn Coch) mai Wang-Ho, ac yntau'n bump ar hugain oed, a etifeddodd y Wing-Ha Weng-Hi Wang-Ho

Electronic Company. Ond doedd dim angen i neb boeni. Efallai fod Wang-Ho yn fwy o freuddwydiwr na'i daid a'i dad, ond roedd ei gyneddfau busnes yr un mor sownd, a chyda chymorth ei nain, roedd y cwmni yn gadarn ddiogel yn ei ddwylo.

Ac erbyn hyn, 2049, a Wang-Ho ar drothwy ei ben blwydd yn ddeg ar hugain oed, roedd hwn yn gwmni nid bychan, ac iddo ddeuddeg cant o weithwyr yn fyd-eang, a throsiant o 2.7 biliwn o euros bob blwyddyn.

Ond daethai un newid mawr dros Wang-Ho yn ystod y pedair blynedd olaf hyn. Synhwyrasai rywbeth y bore cyntaf hwnnw y camodd i'r cwt sinc ar ôl angladd Wing-Ha a Weng-Hi.

Yn ôl ei arfer, agorodd y clo clap gyda'i oriad gloyw ac agor y drws. Pan gamodd i'r cwt, a sefyll ennyd gerllaw'r plac a nodai mai dyma swyddfa gofrestredig y Wing Ha Weng-Hi Wang-Ho Electronic Co. fe deimlodd ias yn cropian i fyny ei asgwrn cefn. Doedd hi ddim yn fore oer, ond dechreuodd Wang-Ho grynu fel deilen, a dechreuodd ei ddannedd glecian. Gwthiodd ei ddwylo dan ei geseiliau ond daliai i grynu. Edrychodd unwaith eto ar y plac cyn camu yn ôl allan. Ar amrantiad diflannodd ei gryniadau ac roedd yn gynnes braf unwaith eto. Camodd i'r cwt drachefn a daeth yr hen deimlad oer yn ei ôl. Astudiodd Wang-Ho y system wresogi; roedd honno yn dangos tymheredd o ddeunaw gradd canradd, ond roedd o'n dal i deimlo'n oer. Cerddodd draw at NESTA. Diflannodd yr oerni. Dychwelodd at y drws. Fferrodd drachefn.

Methai Wang-Ho â deall hyn Roedd yna ddwylath sgwâr ger y drws oedd yn oer, oer. Doedd o ddim yn gwneud unrhyw fath o synnwyr, ac fe ddigwyddai'n feunyddiol.

Ni wyddai pam, ond y tu mewn i ddrws y cwt ger y sgwâr oer, fe osododd Wang-Ho ddarlun o'i daid a'i dad. Bob bore wrth ddechrau diwrnod o waith, oedai Wang-

Ho yn y sgwâr oer, a chan edrych i fyw llygaid y ddau, sibrydai air o weddi:

"Wing-Ha a Weng-Hi y rhai ydych yn eich nefoedd electronig, sodreiddier eich enwau; deled eich gigabeits; gwneler eich ewyllys, megis yn eich nef felly yn eich cwt sinc ar y ddaear hefyd. Rhoddwch i ni heddiw ein micro-djips beunyddiol; a maddeuwch i'n credydwyr fel y maddeuwn ninnau i'n dyledwyr. Ac nac arweiniwch ni i wrthbrofi digidiad, eithr gwaredwch ni rhag bygs; canys eich eiddo chwi yw yr eicons, y ROMs a'r circuit boards yn oes oesoedd. Amen"

Wedyn, yn ddieithriad byddai'n camu i ben draw'r gweithdy at ei lyfrgell electronig. Roedd hon yn cynnwys miloedd o CD ROMs yn llawn data electronig a phob peth o bwys a gyhoeddwyd erioed yn hanes llenyddiaeth Gymraeg. Am un awr bob dydd, eisteddai Wang-Ho a'i goesau wedi eu croesi gerbron ei allor o fonitor. Gwthiai ddisg ar ôl disg i grombil NESTA a rhyfeddai at ystod eang diwylliant ysgrifenedig gwlad fabwysiedig ei daid. Yn wir ni fyddai'r un diwrnod wedi bod yn gyflawn heb i Wang-Ho, rywdro yn ystod ei brysurdeb electronaidd, estyn disg o lenyddiaeth i fyfyrio uwchben ei chynnwys.

Ac wrth fyfyrio fel hyn y daeth y syniad iddo fod rhywbeth mawr ar goll yn ei fywyd. Beth oedd hwnnw, nis gwyddai, ond fe wyddai un peth yn sicr. Doedd dim awch ar ei greadigrwydd electronaidd y dyddiau hyn.

A dyna stori Wang-Ho.

O leiaf tan rŵan, 2049.

Pennod 2

BORE O WANWYN ydoedd a'r ddaear yn las-feichiog. Sgleiniai'r haul yn berlau gloyw ar y cerrig dan ddŵr byrlymus afon Ceiri. Gorwedd ar ei gefn ar y dorlan yr oedd Wang-Ho a'i lygaid hollt yn adlewyrchu'r awyr ddigwmwl. Roedd o'n enaid aflonydd y dyddiau hyn, yn ddwfn mewn Cynanfyd.

Y tu hwnt i'r cwt sinc clywai fwrlwm diddiwedd y traffig ar y wibffordd. Breciai aml i gerbyd wrth basio'r cwt sinc wrth i rieni a chyfeillion egluro wrth eu plant a'u cydnabod mai dyma gartref y Wing-Ha Weng-Hi Wang-Ho Electronic Co. Byddai stori ryfeddol Wing-Ha yn cael ei hadrodd, ei hailadrodd, ei stumio a'i hymestyn wrth i'r cerbydau wibio tua Phwllarfon neu Gaerheli. A byddai dychymyg Wang-Ho yn drên wrth geisio dychmygu pwy oedd ymhob cerbyd a beth oedd pwrpas eu taith.

Peidiasai'r creadigrwydd heintus gyda marwolaeth ei dad a'i daid. Aethai Wang-Ho i fyfyrio fwyfwy.

Er bod yna bedair blynedd wedi gwibio heibio ers y drychineb, bach iawn fu ymwneud Wang-Ho â'r cyfrifoldebau dyddiol o reoli'r cwmni. Arolygu oedd ei swyddogaeth ef bellach.

Câi un cyfarfod boreol ac un prynhawnol fel rheol gyda'i reolwr, John Preis, ac ar ambell Sadwrn fe fyddai'r penaethiaid rhanbarthol yn hedfan i Ddinas Nunlle o Ddulyn, Paris, Llundain, Madrid a Berlin. Unwaith y mis deuai'r Iancs yn sŵn i gyd gyda'u hadroddiadau hwythau. Gwaith i'w gyfrifydd oedd didoli a dadansoddi cynnwys eu hadroddiadau, a châi yntau glywed barn y cyfrifydd uwchben cinio gwaith y Sul cyntaf o bob mis.

Uchafbwyntiau ei fywyd beunyddiol y dyddiau hyn oedd yr oriau a dreuliai gyda NESTA, y sgyrsiau difyr a gâi gyda'i nain a Ron yn sôn am ei dad a'i daid, a'r amser a dreuliai'n myfyrio a synfyfyrio o gwmpas y cwt sinc.

Ac ers wythnos neu fwy roedd y myfyrdodau hynny yn troi a throsi o gwmpas Cynan.

"Albert Evans Jones." Sibrydodd yr enw'n uchel wrth y pysgod, yr adar a'r pryfaid genwair. "*Syr* Albert Evans Jones!" cywirodd ei hun. Beth oedd gan hwn yn ei greadigaethau nad oedd gan odid yr un bardd arall yn hanes y gwareiddiad Cymreig?

Pam roedd pum peint o gwrw ar nos Wener yn llacio tafod Ellis Everton Mints i'r fath raddau ei fod yn canu talpiau o 'Fab y Bwthyn' wrth basio'r Henblas ar ei ffordd adref? Pam roedd Nain Cedora, yn yr hen ddyddiau, yn how-ganu 'Nico annwyl, ei di drosta i ...?' wrth fachu dillad ar y lein bob bore Llun? A pham roedd ei daid, ac yntau'n Hong Kongiwr o dras, yn canu pedwar pennill 'Trafaeliais y byd' pan gâi fath erstalwm? Ac oni fyddai ei dad, pan oedd Wang-Ho yn blentyn bychan, yn ffarwelio â'i deulu bob bore drwy weiddi 'Salaâm!' wrth fynd drwy'r porth ffrynt?

Penderfynodd fynd i'r Henblas. Fe fyddai John Preis yno toc i drafod materion y dydd.

Pan gyrhaeddodd y brif swyddfa roedd golwg bryderus ar wyneb John Preis wrth iddo estyn llythyr i'w fòs. Llythyr oddi wrth gyngor sir Tiroedd Llywelyn ydoedd.

"Mi fedar hwn fod yn bwysig," oedd ei unig sylw.

Darllenodd Wang-Ho y llythyr.

Y mae yn perthyn i bob cyngor sir (gan gynnwys Môn) o leiaf un swyddog go bwysig, a doedd cyngor sir Tiroedd Llywelyn ddim yn eithriad. Teithiai'r swyddog hwn, un Gareth Gwyn, yn dalog heibio i gwt y cwmni'n ddyddiol, ac un bore cawsai chwilen yn ei ben fod yr awr wedi dod i'r sir gael gwared â'r cwt.

Dyna fyrdwn y llythyr a dderbyniodd Wang-Ho y bore hwn – dogfen swyddogol oddi wrth y cyngor sir yn ei orchymyn i ddymchwel y cwt sinc rhag blaen.

"Mae gen i awgrym, Wang-Ho," meddai John Preis.

"Be?"

"Roedd eich taid yn ffrindiau mynwesol hefo'r Seneddwr Puw ..." Ac aeth John Preis rhagddo i amlinellu cynllun maith a manwl. "Mi allai weithio ..." oedd ei eiriau olaf wrth Wang-Ho cyn iddo adael.

Wyddai Wang-Ho ddim oll am y grefft o ddelio â sefyllfa o'r math yma, ac felly aeth ar ei union i'r cwt i holi NESTA. Eisteddodd yn ei gadair ledr a dechreuodd ei holi.

"Negyddol. Does gan NESTA ddim ateb."

Cafodd Wang-Ho sioc ei fywyd. Roedd o wastad wedi meddwl fod yng nghrombil NESTA yr ateb i bob problem yn y byd crwn cyfan. Am y tro cyntaf yn ei fywyd daeth i sylweddoli fod yna ddiffygion yng nghreadigaeth ei daid. Y cam nesaf felly oedd siarad â Nain Cedora.

Cododd Wang-Ho ar ei draed ac aeth i gyfeiriad yr Henblas. Yno ar y lawnt, yn ei chadair olwyn, roedd Nain Cedora, yn ôl ei harfer, yn darllen. O fewn ychydig lathenni iddi, yn sefyll yn fythol barod at ei gwasanaeth yr oedd Ron. Roedd hithau wedi sylweddoli ers tro fod yna anniddigrwydd yn cnoi ym mherfedd ei hŵyr. Ac roedd ganddi hi ei syniadau ei hunan beth oedd yn peri hynny iddo.

Y tu allan i'w deulu a'r busnes ychydig iawn y bu Wang-Ho'n ymwneud â phobl. Ers dyddiau gadael ysgol, creadur unig a fuasai. Doedd ganddo ddim ffrindiau na chyfeillion o'r un genhedlaeth ag ef ei hun. Troi ymysg oedolion a wnaethai. A NESTA. Ar brydiau, melltithiai Cedora Wing-Ha am iddo greu NESTA erioed. Roedd y lwmp yna o djips wedi ei hamddifadu hi o oriau yng nghwmni ei gŵr a'i mab, a rŵan ei hŵyr. Doedd o ddim yn beth iach i hogyn deg ar hugain oed fod ar ei ben ei hun, yn ddigyfaill ac yn ddigymar. Yn sicr un peth na wnaethai Wang-Ho ei etifeddu oedd hormons arian byw ei daid a'i dad!

Gwyliodd Cedora ef yn cerdded tuag ati, a'i ben tua'r ddaear yn llawn myfyrdod. Byddai wrth ei bodd yn ei gwmni. Roedd o'n hogyn deallus, ond roedd hi'n ymwybodol iawn o'i swildod gyda phobl ddiarth; byddai'n rhaid iddo ymysgwyd o'r drefn yma o fyw, neu bywyd meudwy oedd yn ei aros. Ac roedd hi'n ymwybodol o un peth arall hefyd …

Penderfynodd y foment honno fod rhaid i Wang-Ho gael blas ar fywyd y tu allan i waliau'r Henblas. Ond fe'i taflwyd oddi ar ei hechel braidd gan ei eiriau cyntaf.

"Dw i isho creu, Nain!"

Mŵd gwahanol!

"Ond mi rwyt ti'n creu!"

Credai Wang-Ho am eiliad nad oedd ei nain wedi ei ddeall.

"Dydw i ddim yn creu dim byd parhaol! Petha dros dro ydyn nhw …"

"KWRWPGLO? apKWRWPGLO? PEROs? RECO? Rheina ydi dy greadigaethau di, ac mi fyddan nhw'n bod am byth fel esiampl i genedlaethau eto."

"Petha dros dro ydyn nhw," ailadroddodd. "Dw i isho creu rhywbeth parhaol. Rhywbeth fydd yn para am byth."

"Isho bod yn fardd neu lenor wyt ti?"

"Ella."

"Rhaid i ti gael profiad o fywyd, felly."

"Ond ma' gen i ddeng mlynedd ar hugain …"

Ysgydwodd Cedora ei phen, ac estynnodd fys hir, gwyn, crynedig tuag at y wibffordd.

"Bywyd allan fan'na dw i'n ei feddwl."

Oedodd Wang-Ho am ychydig tra ceisiai ddeall ystyr geiriau ei nain.

"Dw i'm yn dallt."

"Mae 'na fwy i fywyd na'r hyn sydd y tu mewn i waliau

Henblas Glanllifon, ngwas i. Mi fasa Ron yn deud hynny wrthat ti."

Yn ufudd, nodiodd Ron ei ben mewn cytundeb.

"Deud wrtha i am ada'l dach chi?"

Ysgydwodd Cedora ei phen.

"Mi w'ranta i, pe baet ti heno yn mynd am beint i'r Groat ..."

Chafodd hi ddim gorffen ei brawddeg.

"Fûm i 'rioed yno!"

"... pe baet ti'n mynd yno, mi fyddet ti'n dod adre'n ddyn gwahanol."

Am eiliad safodd Wang-Ho'n stond a dechreuodd ei galon guro'n gyflym. Roedd y syniad o fynd i'r Groat yn peri ofn a dychryn iddo.

"Pw' fedra ddod hefo fi, Ron?"

Daeth yr ateb ar ei union.

"Neb. Dos dy hun."

"Ond ..."

Fedrai o ddim meddwl beth i'w ddweud. Sut y medrai egluro i'w nain fod y syniad o fynd i'r Groat yn corddi'i stumog? Pwy fyddai yno? Beth roedd o'n mynd i'w ddweud wrthyn nhw? Beth roedd o'n mynd i'w yfed? Sut roedd gofyn amdano? Doedd o erioed o'r blaen wedi gwneud y fath beth.

"Mi w'ranta i y byddi di'n berson gwahanol fory."

"Be dach chi'n 'feddwl?"

"Mi gei di ysbrydoliaeth!"

"Yn y Groat?"

Nodiodd yr hen wraig, a gwên chwareus ar ei gwefus. Dal i chwilio am esgusion roedd Wang-Ho.

"Fedra i ddim dreifio ac yfed ..."

"Cerdda."

"I'r Groat?!"

"Cwta ddwy filltir o siwrnai ydi hi. Mi wnaiff y cerdded les i ti ..."

Cerdded! Pryd y cerddodd o ddwy filltir ddiwethaf?

"... ac mae 'na lwybr troed yn dilyn y wal yr holl ffordd yno, ac adra."

Bu Wang-Ho yn dwys fyfyrio am rai eiliadau.

"Oeddat ti isho rh'wbath arall?"

" Y cwt ..." dechreuodd, ond yna newidiodd ei feddwl. "Nac oedd. Dim byd arall."

Yn sydyn, doedd dyfodol y cwt ddim yn bwysig iddo. Mynd i'r Groat oedd y bwgan.

Teimlai Wang-Ho yn anesmwyth wrth gerdded yn ei ôl i'r cwt sinc. Doedd o ddim wedi dweud yn bendant wrth ei nain y byddai'n mynd. O leiaf roedd o wedi gadael lôn ddianc iddo'i hun.

Gydol y prynhawn bu'n ceisio hel esgusion a rhestru'r holl resymau pam na fedrai fynd y noson honno, ond roedden nhw'n swnio fel esgusion tila yn hytrach na rhesymau, a doedd dim un ohonyn nhw'n gwneud synnwyr.

Beth oedd yn bod ar ei nain yn awgrymu'r fath beth? Onid oedd o wedi mynd ati gan obeithio y byddai hi'n dechrau hel atgofion? Adrodd hanes ei thad a'i mam fel y gwnaethai fil o weithiau o'r blaen? Byddai Cedora o hyd yn pwysleisio arno bwysigrwydd ei dras a'i orffennol, ac roedd hi'n ystyried ei hun yn ddynes o dras.

Roedd Wang-Ho wedi gobeithio clywed unwaith eto fel y cafodd Cedora ei geni ar Ebrill y cyntaf 1970 – naw mis union wedi arwisgiad Charles Windsor yn Dywysog Cymru. Clywed fel yr oedd ei thad, 'Bwji' Hughes, yn gweithio i British Rêl a'i mam, Megan, yn rebel o'r crud. Ffordd ei rhieni o 'ddathlu' yr arwisgiad oedd dianc i Iwerddon, i Ddulyn, a threulio'r diwrnod cyfan mewn ystafell wely yn Wynn's Hotel yn dechrau creu'r Gymru Newydd. A'r Gymru Newydd iddyn nhw oedd Cedora.

Straeon byrion Kate Roberts a D.J.Williams a ddarllenid iddi cyn cysgu bob nos, ac roedd dyfyniadau o ddramâu Saunders Lewis a John Gwilym Jones mor gyfarwydd iddi ag ydoedd adnodau William Morgan yn yr Ysgol Sul. Yn wir, creodd gryn embaras i Bwji un dydd, ac yntau wedi parcio'i hen Renault 5 ar sgwâr y Groes a phicio i'r Post i brynu stamp. Pan ddaeth allan o'r Post, roedd torf wedi ymgasglu o gwmpas ei gar, a Cedora seithmlwydd oed wedi agor y to haul ac yn adrodd 'Gwinllan a roddwyd i'm gofal yw Cymru fy ngwlad ...' i'w chynulleidfa. Chwerthin roedd y rhan fwyaf, ond fe ddywedodd yr hen Berwyn Owens (oedd wedi ennill gwobr goffa Llwyd o'r Bryn yn y Genedlaethol) wrtho'n ddiweddarach, "Ffycin hel, Bwji, mae gen ti hogan ar y diawl yn fanna!"

Ac fe fuodd Cedora'n hogan ar y diawl.

Ond pa ryfedd? Onid oedd Bwji ei hun wedi ei restio dridiau cyn yr Arwisgo am adael ei fag bwyd ar y lein ger Griffiths Crossing? Gwir mai brechdanau samwn a fflasg o de oedd ynddo, ond roedd y Sbeshal Bransh wedi credu'n wahanol. Tshecio'r points a thaenu saim-oel hyd-ddynt cyn dyfodiad y trên brenhinol i Ferodo yr oedd Bwji, ac yn ddiniwed (medda fo) wedi gadael ei fag cinio ar y rêl.

Pan glywodd y glec, rhedodd yn ei ôl. Lle buasai ei fag ychydig ynghynt roedd bedd du, crwn a mwg yn codi ohono. Un o'r galarwyr ar erchwyn y bedd oedd Inspector Jones, dwylath o awdurdod hunanbwysig, ac ef a gafodd y neges gan un o'r milwyr oedd yn archwilio gweddillion y bag nad oedd dim namyn bwyd a diod ynddo.

"Lle ma' 'mag i?" holodd Bwji.

Cododd pawb eu golygon tuag ato pan ofynnodd ei gwestiwn. Dau gam a roddodd y plisman cyn gafael yn galed ym mraich Bwji.

"Ai am aresting iw ..." cychwynnodd.

"Pw' ffwc sy'n mynd i dalu?" Dechreuodd Bwji fyllio.

"Am be?" bytheiriodd yr Inspector.

"Chw'thu 'm'echdana samwn fi i ebargofiant."

"Twat!" chw'thodd yr Inspector ato.

Ond doedd dim o'i ofn ar Bwji.

"Cont!" hysiodd yn ei ôl.

Er i'r Inspector afael yn llabedi'i gôt a'i fygwth, a rhythu i fyw ei lygaid, dweud dim ddaru Bwji. Gadael i'w lygaid ddweud y cyfan. Ac yn nwfn y llygaid hynny roedd dicter a dialedd canrifoedd na fedrai dyrnau parod yr Inspector fyth eu cnocio o'i gyfansoddiad. A gwyddai'r plisman hynny.

"Tair mil o bunnau wyt ti wedi'i gostio i'r 'lad bora 'ma! *Bomb Disposal* o Hereford, canslo trenau, ailrwtio plismyn, a *damage to B.R. property* wrth chw'thu'r bag 'na."

Aed â Bwji i Ben Deitsh i'w holi a'i ollwng yn ddiweddarach yn ddigyhuddiad. Y prynhawn hwnnw cafodd ddial arnynt. Erbyn iddo ffonio'r tabloids, roedd y tair mil wedi codi i bump, brechdanau samwn drudfawr Bwji yn llenwi gofod mewn sawl papur, a'r Inspector yn destun gwawd i werin gwlad.

Byddai Cedora wrth ei bodd yn adrodd y stori honno, a Wang-Ho yntau wrth ei fodd yn gwrando arni. Ond rŵan ... Y Groat! Feiddiai o fynd?

Y noson honno, cychwynnodd Wang-Ho gerdded y ddwy filltir i'r Groat. Cerddodd yng nghysgod y wal. Cerdded i wyneb y llif traffig ar y wibffordd, a gwynt y cerbydau unffurf yn chwipio'i wyneb. Doedd o erioed wedi cerdded y ffordd o'r blaen. Mewn naw mlynedd ar hugain o droedio tiroedd Henblas Glanllifon, dyma'r tro cyntaf iddo gerdded y tu allan i'r wal. Mae'n wir iddo'i theithio ganwaith yn ei geir cyflym, ond ni fu erioed yn ei cherdded. Roedd o'n union fel dianc. Dianc o garchar a blasu cynnwrf rhyddid. Ac roedd yna gynnwrf ym mhob gewyn o'i gorff. Pam? Am ei fod yn cerdded ffordd nad oedd erioed wedi ei thramwyo o'r blaen?

Buan y diflannodd y ddwy filltir ac y gwelodd y Groat yn codi'n wyn ac yn urddasol o'i flaen. Roedd y ceir yn dal i wibio heibio, ac yntau'n mynd yn erbyn y llif.

Oedodd ennyd cyn croesi'r trothwy. Aeth ias trwy'i gorff. Ias o ofn yr anhysbys. Pesychodd, a gwthiodd y drws gwydr yn agored. Cerddodd ar ei union at y bar.

Dau arall oedd yno. Dau ifanc yn dynn yn ei gilydd mewn cornel. Y fo'n dweud rhywbeth yn dawel yn ei chlust hi, hithau'n codi'i phen, ysgwyd ei gwallt melyn a chwerthin. Edrychodd y ddau draw ato pan ddaeth i mewn, yna troi'n ôl i'w byd bach eu hunain.

Y tu ôl i'r bar roedd geneth ifanc lygatddu yn gwenu arno. Edrychodd ar y rhes o bympiau, cyn edrych ar y llygaid eto. Roedden nhw'n dal i wenu, ac yn disgwyl iddo ddweud rhywbeth.

"Hwnna, plis."

"Strongbô, dol?"

Dol? Pa fath o gyfarchiad oedd hwnna?

"Ia."

Daeth y ddiod. Diod oer, felys yn llithro i lawr ei wddf fel mêl.

"Pw' ti 'lly?" A daeth rhes o ddannedd gwynion i'r golwg.

"Wang-Ho."

"Glanllifon?"

"Ia."

"Ti'm 'di bod yma o'r blaen, naddo?"

Roedd gan Wang-Ho gywilydd cyfaddef. Tafarn o fewn dwy filltir i'w gartref ac yntau erioed wedi tw'llu'r bar.

"Naddo." Yn dawel.

"Dw i 'di clywad lot amdanach chdi – gin yr hen ddynas."

"Hen ddynas?"

"Jan – hi bia'r lle 'ma. Ma' hi'n gant a naw 'sti, ond ei meddwl hi'n dal yn glir fel cloch."

Gwenodd Wang-Ho. 'Clir fel cloch!' Roedd yr hogan yma yn siarad barddoniaeth! Cyffelybiaeth! Tybed ymhle roedd hi wedi clywed yr ymadrodd yna. Neu tybed ai ei chreadigaeth fach hi ei hun ydoedd? Oedd o wedi colli rhywbeth unigryw trwy beidio â chyfeillachu a chymdeithasu mwy?

"Be dach chi 'di 'glywad 'lly?"

"Ti'n drewi o bres!"

Ansoddair annisgwyl!

"Be arall?"

"Dy fod ti'n briliant ond yn rhyfadd."

Oedodd Wang-Ho cyn ymateb. Roedd hi'n eneth onest iawn. Beth oedd hi'n 'feddwl? Yn rhyfedd?

"Ond felly ma' pobol briliant – o leia dyna ma' taid yn 'i ddeud."

Am ennyd fedrai Wang-Ho ddim meddwl am unrhyw beth i'w ddweud i barhau'r sgwrs. Agorodd y drws a cherddodd gŵr penfoel, cydnerth i'r ystafell. Troes y ferch oddi wrth Wang-Ho.

"Peint o feild, Parri?"

"Ia, blodyn."

Hen-ffasiwn fel het! Dyna a âi drwy feddwl Wang-Ho. Dal i alw mesur o gwrw yn beint a hwnnw wedi diflannu ers hanner canrif. Ac roedd o newydd glywed rhywbeth arall. Blodyn oedd enw'r ferch lygatddu.

"D'wrnod calad, Parri?"

"Ffwcedig!"

"Gei di fwy nag un peint 'lly?!"

"Galwyn neu ddau'n saff i ti!"

Arglwydd! Roedd dau alwyn yn un peint ar bymtheg! Ceisio trosi hynny i litrau yr oedd Wang-Ho pan dorrodd llais Parri ar draws ei feddyliau.

"S'ma' 'i?"

Edrychodd Wang-Ho draw ato. Roedd pawen fawr ddu newydd afael yn y gwydr a'i godi i'w geg. Un traflynciad ac roedd traean o'r ddiod wedi mynd i lawr y lôn goch. Edrychodd eto ar y llygaid. Ie, arno fo'r oeddan nhw'n edrych. Llyncodd ei boer.

"Iawn, diolch."

"Un o rownd ffor'ma dach chi?"

"Wang-Ho," eglurodd Blodyn.

"Glanllifon?" Cododd Parri fymryn ar dôn ei lais.

"Ia."

Gloywodd y llygaid.

"Arclwy'! Fedar hwn brynu cwrw i bawb drw'r nos efo'r newid mân sydd yn 'i bocad! E, blodyn?"

Ar hynny cododd, a chyda chwerthiniad uchel aeth i'r cefn.

"Tynnu dy goes di mae o!" eglurodd Blodyn, wrth weld y benbleth ar wyneb Wang-Ho. "Ma' Parri'n dipyn o gês!"

"Pwy 'di o, 'lly?"

"Parri Witsh. Hogyn Meri Siop Tjips. Weldar. Gweithio yn yr iard longa yng Nghaerheli." Newidiodd yr olwg ar ei hwyneb i un o edmygedd. "Gw'ithiwr calad ac yn llawn sens o hiwmor. Mae o'n donic i'r lle 'ma."

Pwy ydi Meri Siop Tjips? Dyna oedd Wang-Ho eisiau'i ofyn, a pham ei fod o'n cael ei alw'n Parri Witsh, ond daeth Parri'n ei ôl. Eisteddodd ar ei stôl cyn ebychu.

"Go damia ddiawl!"

"Be sydd?" Roedd Wang-Ho yn dechrau teimlo'n hy'.

" 'Di'r peth ddim yn gneud sens!"

"Be?"

"Talu am gwrw pen yma i'r tŷ, a mynd i'r cefn a'i biso fo allan!"

Chwarddodd Wang-Ho yn uchel.

"O'dd 'na rywun yno hefo chdi heno, Parri?" gofynnodd Blodyn.

Gwenodd Parri arni.

"Rown ni yno fy hun bach heno."

"Ma' Parri'n gweld ac yn siarad hefo ysbrydion," eglurodd Blodyn.

Dyna pam yr oedd yn cael ei alw'n Parri Witsh felly.

"Gweithio i chi'ch hun dach chi?"

"Ia. Mi fydda i ar y lôn am chwech yn y bora, ac mi

fydda i arni nes cyrhaedda i Gaerheli. Mi fydda i arni wedyn am bump – ar fy ffordd adre. Cyn chwech, neu ar ôl pump."

"Rydach chi'n treulio lot o amsar ar y ffordd?"

"Tydan ni i gyd?"

"Tydw i ddim!"

"'Dan ni i gyd ar yr un lôn, Wang-Ho. Roeddat ti arni ar dy ffordd yma gynna ac mi fyddi di arni ar dy ffordd adra heno. Ac mi fyddi ditha, fel finna, ar yr hen lôn 'na fory."

Beth oedd o'n 'feddwl? Doedd ganddo ddim bwriad treulio eiliad drannoeth ar y wibffordd. Roedd ganddo bethau i'w gwneud!

"Hei, blodyn! Dyro beint i Wang-Ho – ella talith o ar 'i ganfed i mi!"

"Na, wir!"

"Fedri di ddim gwrthod peint?"

"Dw i ddim yn arfar ..."

"Arclwy' ma'n bryd i chdi ddechra! Dyn yn ei oed a'i amsar ..."

Daliodd Wang-Ho lygaid Blodyn. Ai rhybudd oedd ynddyn nhw? Rhybudd iddo beidio â gwrthod?

"Strongbô, 'ta."

"Sglyfath o stwff!"

"Strongbô?"

"Byta dy du mewn di fel ci rheibus! Pydru dy berfadd di! 'Fala Saeson!"

Doedd Wang-Ho ddim yn ymwybodol fod unrhyw wahaniaeth rhwng ffrwythau Lloegr a ffrwythau Cymru, ond cafodd y teimlad unwaith eto mai cellwair yr oedd Parri. Peidio ag ymateb oedd orau.

"Dach chi'n chwilio am waith?"

"Wastad yn gneud hynny!"

"Pam na alwch chi acw ar eich ffordd yn y bora?"

"Fyddi di wedi codi?"

"Byddaf."

"Am chwech?"

Nodiodd Wang-Ho.

"Mi fydda i'n darllen barddoniaeth rhwng pump a chwech bob bore."

"Barddoniaeth Gymraeg?"

"Ie."

"Petha fel Crwys?"

"Crwys, Eifion Wyn, I.D.Hooson, Cynan …"

"Cwsg ni ddaw i Hamlet heno
Dagyrs ddaw ynghynt …"

Unwaith yn rhagor, chwarddodd Wang-Ho. Ble ar wyneb y ddaear y bu o'n cuddio cyhyd fel nad oedd wedi dod i nabod Parri ynghynt?

"Clyfar iawn."

"Felly bydda Robin Parri yn ei hadrodd hi erstalwm. Doedd o'm cweit wedi'i dallt hi, dw i'm yn meddwl!"

"Ydach chi'n gwbod pwy sgwennodd hi?"

"Dim ffwcin syniad."

"John Morris Jones."

Y munud y dywedodd yr enw roedd Wang-Ho'n difaru. Teimlai'n euog. Dangos ei hun roedd o. Doedd dim disgwyl i Parri wybod hynna. Sut ar wyneb y ddaear yr oedd o'n mynd i ailgychwyn y sgwrs? Ond roedd Parri'n barod amdano.

"Os wyt ti isho rhoi panal chwartar o drwch a dwy fetr sgwâr yn sownd dan *water-line* cwch dau gan tunnall, faint o rifets wyt ti'n iwshio?"

Ei siawns o oedd dangos ei hun rŵan. Fe synnodd Wang-Ho ei hun â'i ateb.

"Dim ffwcin syniad."

"Pymthag ar hugian ymhob cantal." Symudodd Parri oddi ar ei stôl. Cododd fys at ei ên a'i bwyntio at Wang-Ho. "Pawb at y peth y bo, yli!" Yna winciodd cyn ychwanegu, "Dw i'n mynd!"

Touché! Casglodd Parri ei gôt a symud tua'r drws.

"Wela i di'n bora – chwartar i chwech."

"Wrth ymyl y cwt sinc."

"Iawn."

Troes at Gwenllïan.

"Pryd wela i chdi, blodyn?"

"Pan weli di fi, ia?"

Cleciodd y drws gwydr ac roedd o wedi mynd. Teimlai Wang-Ho yn euog iddo adael o'i herwydd o. Trodd at Blodyn.

"Wnes i 'i bechu o?"

"Pam ti'n gofyn?"

"Fe a'th yn sydyn."

"Dau beint mae o'n cael bob nos. Galw ar ei ffordd adra."

Cododd Wang-Ho beint arall iddo'i hun. Teimlai'n braf. Roedd y seidr yn dechrau codi i'w ben. Pwy arall ddeuai heibio tybed? Troes at Blodyn.

"Pwy roddodd yr enw Blodyn arnach chi?"

"Parri."

"Be? Fo ydi'ch tad?"

"Naci siŵr Dduw. Gwenllïan ydi f'enw i. Parri sy'n fy ngalw i'n blodyn."

"Gwenllïan ... wyddoch chi hanes Gwenllïan yng Nghydweli?"

"Yli, Gwen ma' pawb yn fy ngalw, reit, a na, dw i ddim isho gwbod am unrhyw Gwenllïan arall. Pam na fasa Mam wedi 'ngalw fi'n Diana neu Louise, god nôs mi fasa bywyd wedi bod yn haws."

"Mae Gwenllïan yn enw prydferth."

"Pwy sy'n siarad rŵan, Wang-Ho neu'r seidar?"

"Wang-Ho."

Fe ddywedodd hynny'n dawel, a'i lygaid tua'r llawr. Edrychodd Gwenllïan yn hir arno a bu'n ddistaw am ennyd.

"Wel?" holodd.

Cododd Wang-Ho ei lygaid.

"Wel, be?"

"Pw' o'dd hi?"

> "Hawliwn y tŷ, mynnu'n man
> law yn llaw â Gwenllian."

"Os ma' hi sgwennodd hynna, roedd hi'n uffar o ddynas!"

"Naci, nid hi sgwennodd hynna, ac oedd, fe roedd hi'n uffar o ddynas!"

Ac ar ei waethaf fe'i cafodd Wang-Ho ei hun yn gwenu ac yn edrych i ddwfn y llygaid duon yna unwaith eto.

Ar ei ffordd adref yn hwyrach y noson honno roedd Wang-Ho yn ŵr hapus. Codai ei law ar bob cerbyd a wibiai heibio. Wyneb Gwenllïan oedd ymhob golau, a phan gâi ei ddallu gan lewyrch mwy tanbaid na'i gilydd caeai ei lygaid yn dynn a llenwi'i feddwl â geiriau Cynan ...

> "Gwnaeth Duw un diwrnod wyneb merch
> o flodau a chaneuon serch ..."

Llefarai'r geiriau'n uchel iddo'i hun wrth igam-ogamu adref tua'r Henblas. Yna meddyliodd eto am gamddyfyniadau Parri.

> "Cwsg ni ddaw i Hamlet heno
> Dagyrs ddaw ynghynt ..."

Sut tybed y byddai Parri'n camddyfynnu Cynan?

"Camddyfynnu?"

Aeth ias drwy'i gorff. Doedd o ddim yn ymwybodol ei fod wedi dweud y geiriau'n uchel o gwbl. Troes drach ei gefn. Doedd yna neb yno. Ond roedd rhywun wedi llefaru! Oedd o wedi yfed gormod? Teimlai'n benysgafn. Aeth ias i lawr ei asgwrn cefn. Yr un ias ag a deimlai wrth sefyll ar y ddwy lathen sgwâr y tu mewn i ddrws y cwt sinc.

"Camddyfynnu?" ebe'r llais drachefn. Roedd o'n llais cyfarwydd ac eto'n llais gwahanol. Roedd yna eco mawr dwfn yn perthyn iddo.

"P ... p ... pwy sydd yna?" holodd Wang-Ho mewn llais bach.

Yn sydyn gwelodd olau llachar yn syth o'i flaen. Cododd Wang-Ho ei law i amddiffyn ei lygaid. Roedd y golau'n dod yn syth amdano. Swatiodd yn erbyn y wal. Beth oedd o? Lorri? Na, doedd dim sŵn injan na thyrbein trydan. Ac roedd y golau'n rhy uchel i fod yn unrhyw fath o gerbyd. Ceisiodd edrych y tu hwnt i'w ddwylo, ond doedd dim i'w weld ond gwynder. Ac yna clywodd Wang-Ho y llais eto, a dyna pryd y dechreuodd redeg. Roedd o'n ymwybodol mai dianc yr oedd o. Dianc o'r golau. Dianc rhag y llais. Dianc rhag rhywun oedd yn ei ddilyn. Rhedodd nerth ei garnau.

O'r diwedd gwelodd y bwlch yn y wal lle'r oedd yr adwy i'r Henblas a rhedodd drwyddo. I'r chwith iddo roedd y coed, a phlymiodd i'w canol. Trawai'r canghennau ei wyneb a'i freichiau wrth iddo ddyrnu mynd, ond doedd o ddim eisiau arafu. Roedd o eisiau cyrraedd diogelwch yr Henblas. Gwelai gysgod y dderwen fawr o'i flaen a cheisiodd droi i'w hosgoi. Ond methodd, roedd o'n rhedeg yn syth tuag ati.

Y peth olaf a gofiai oedd y glec arswydus pan drawodd ei ben meddal y rhisgl garw, caled. Gallai led-gofio cofleidio'r boncyff cyn llithro'n swp i'r llawr wrth ei bôn. Llithro'n ymwybodol o'r sgriffiadau ar ei wyneb a'i freichiau noethion. Troi ei wyneb, a dal i weld y golau. A gweld gwyrddni'r dail yn troi yn niwl ac yn darth.

Wyneb mawr, crwn, coch mewn penwisg wen. Coban laes yn llusgo ar y dail crin wrth odre'r goeden. Esgidiau lledr, meddal, gwynion yn crenshian y dail wrth i'r wyneb a'r wên ddynesu. Ceg yn agor. Dwfnlais yn diferu'r geiriau tuag ato:

"Wang-Ho un dydd fydd grëwr merch,
o sglodion dysg a sglodion serch,
Yn llenwi'i llygaid duon, mawr,
bydd 'zigabeits o liwiau'r wawr;

Ac yn ei chalon glwstwr jels
O Bentium-prôs ac ATLs;
Rhydd iddi allu, nes bo trams
Ei brêns yn llawn o ROMs a RAMs;
Bydd holl ddiwylliant byd a'i blips
Yng nghrombil cudd ei micro-djips;
Bydd hon yn ferch o fri a statws,
a daw i'n byd fel Blodyn Tatws."

* * *

Wrth i'w lygaid araf agor, edrychodd Wang-Ho o'i amgylch. Gorweddai ar ei wely. Dechreuodd ei lygaid grwydro'r ystafell. I'r chwith iddo roedd y bwrdd bach ger erchwyn y gwely, yna'r ffenest fawr a'r ddesg a ddaliai ei gompiwtar. Drws yr ystafell ymolchi, yna'r weleffôn. Y cwpwrdd lle'r oedd ei ffau, yna'r drws a arweiniai o'r ystafell. Oedd, roedd o gartref, ond sut ar y ddaear y cyrhaeddodd o? Cododd a mynd yn sigledig i'r ystafell ymolchi.

Dychrynodd Wang-Ho yn arw pan welodd yr olwg oedd ar ei wyneb. Am y tro cyntaf yn ei fywyd, roedd wedi methu deffro cyn naw o'r gloch. Wedi taflu dŵr dros ei wyneb i geisio lliniaru rywfaint ar y cnocio yn ei ben, edrychodd eilwaith ar y mân friwiau ar ei wyneb. Na, fyddai dim modd shafio'r bore 'ma. A beth ar y ddaear a ddywedai Nain Cedora? Roedd golwg y fall arno.

Ers iddo ddeffro hanner awr ynghynt bu'n troi a throsi digwyddiadau'r noson cynt yn ei feddwl. Ai wedi meddwi yr oedd? Ai dyma beth oedd y stad o feddwdod? Gweld golau a chlywed lleisiau?

Aeth at ei fwrdd bach ac estyn papur a phensil. Oedd o'n cofio'r geiriau? '… Wang-Ho un dydd fydd grëwr merch …' Wedi pum munud o gofio ac ysgrifennu, darllenodd y geiriau yn uchel wrtho'i hun. Beth oedd eu hystyr?

Yna cofiodd Gwenllïan. Gwenllïan â'r llygaid duon a'r dannedd gwynion. Gwenodd Wang-Ho. A Parri? Parri Witsh. Parri Witsh! Oedd a wnelo hwnnw rywbeth â hyn?

Aeth Wang-Ho yn ei ôl at y sinc a'i lenwi â dŵr oer. Gwthiodd ei ben iddo. Dim cymaint â hynna o Strongbô eto. Nefar.

Wrth gerdded i lawr y grisiau, daeth wyneb yn wyneb â Ron.

"Welais i chdi neithiwr, Ron?"

"Y fi helpodd chi i'r gwely," meddai hwnnw dan wenu. "Ac mi geisiais olchi'r briwiau 'na orau medrwn i."

"Faint o'r gloch o'dd hi?"

"Wedi hanner nos."

"Roeddat ti'n dal ar dy draed?"

Oedodd Ron fymryn cyn ateb.

"Ar gais 'ych nain ..."

Ysgwyd ei ben a wnaeth Wang-Ho. Agorodd ddrws yr ystafell fwyta, a chamodd iddi i wynebu Nain Cedora. Roedd Wang-Ho wedi ceisio meddwl ymlaen llaw beth byddai'n ei roi fel esgus dros godi'n hwyr. Pan welodd y wên ddieflig ar ei hwyneb, gwyddai na fyddai rhaid iddo boeni.

"Noson fawr? He-he-he," meddai ei nain, gan ryw hanner cecian fel hen iâr newydd ddodwy.

"Fe a'th yn hwyr ..." dechreuodd Wang-Ho.

"Be ddigwyddodd i dy wynab di? Y? Dw i'n 'i nabod hi?!"

"... mi ddisgynnais i yn y coed ar fy ffordd adra."

Edrychodd yr hen wraig ar y cloc mawr.

"Chwartar i ddeg a thitha heb gael dy frecwast!" Yna pallodd y cellwair. "Sut oedd hi yn y Groat?"

"Difyr. Difyr iawn a deud y gwir."

"Pwy oedd 'no? Dywad yr hanas wrtha i." A rholiodd Cedora'i chadair yn nes at Wang-Ho.

Daeth Ron i'r ystafell.

"Be gym'rwch chi i frecwast?"

"Coffi … a thost."

Nodiodd Ron a gwenu cyn gadael am y gegin.

"Wel?"

" 'Chydig oedd yno, deud y gwir. Hogan yn syrfio o'r enw Gwenllïan … rhyw gwpwl ifanc … A Parri. Parri Witsh maen nhw'n ei alw fo. Hefo hwnnw bues i'n siarad drw'r nos."

"O'dd yr hen ddynas ddim o gwmpas?"

"Nac o'dd."

"Pw' fasa'r Parri 'ma 'lly?"

" 'I fam o'n cadw Siop Tjips."

"Hogyn Meri Siop Tjips! Y Wrach!" Hanner bloeddiodd y gair olaf. "Fe fydda 'Nhad, yr hen dlawd, yn arfar deud erstalwm mai dim ond moch a theulu'r Siop Tjips fydda'n medru gweld y gwynt. Hen deulu o sipsiwn. O'dd Jasper, tad Meri, yn ddyn rhyfadd. Rhyfadd iawn."

Cymylodd llygaid Cedora wrth iddi gofio, a thawodd. Manteisiodd Wang-Ho ar y cyfle i droi'r sgwrs.

"Mi a' i lawr i'r ffatri fawr erbyn hanner awr wedi deg. Mi ddo i nôl wedyn."

"Fe fydd NESTA yn methu'n lân â deall beth sydd wedi digwydd i ti!"

"Damia!"

"Be sy?"

"Ro'n i wedi addo cwarfod Parri am chwech bora 'ma."

"Hogyn Meri Siop Tjips?"

"Weldar 'di o. Meddwl y basa fo'n medru'n rhoi ni ar ben y ffordd hefo'r cwt."

"Be ti'n 'feddwl, dy roi di ar ben y ffordd?"

"Mi anghofis ddeud ddoe. Ma' 'na lythyr wedi dod oddi wrth y cyngor sir. Cega am 'i gyflwr o."

"Be w't ti am 'neud?

"Ma' gin John Preis gynllun. Mi wela i o'n 'munud. Dw i'm hannar da rŵan!" A rhuthrodd o'r ystafell fwyta yn ôl i'w lofft, ac i'r ystafell ymolchi. Wrth chwydu ei berfedd i lawr y pan, atgoffodd ei hun i ffonio Parri yn weddol fuan.

* * *

Yn hwyrach y diwrnod hwnnw, ar lawnt Henblas Glanllifon, a hithau'n siarad yn bwyllog ofalus o'i chadair olwyn, fe gafodd Wang-Ho gerydd a chyngor gan ei nain.

"Pam na faset ti'n deud wrtha i mai isho chwalu'r cwt roeddan nhw?" Roedd y llygaid yn melltennu.

Rhyw godi'i ysgwyddau mewn edifeirwch a wnaeth Wang-Ho. Yna aeth Cedora rhagddi i'w gynghori. Fe'i darbwyllodd hi ef i geisio meddwl fel ei dad a'i daid. Beth fasen nhw'n ei wneud dan y fath amgylchiadau?

"Meddylia am bobol sydd yn fwy pwerus na swyddog cynllunio cyngor sir Tiroedd Llywelyn, meddylia am y cysylltiadau oedd gan dy daid, dlawd, a chofia'r hen ddihareb 'Cân di bennill mwyn i'th nain, fe gân dy nain i tithau.' Myfyria ac wedyn gweithreda."

Enciliodd Wang-Ho i'r llyfrgell, a chan geisio cau allan o'i feddwl ddigwyddiadau ddoe, wynebodd ei broblem. Edrychodd yn hir ar y paentiadau olew anferth o Wing-Ha a Weng-Hi a grogai uwchben yr hen le tân. Fydden nhw'n ildio i'r drefn? Peth hawdd fyddai symud popeth o'r hen gwt i adeilad newydd sbon, pwrpasol. Yn wir roedd synnwyr cyffredin yn mynnu mai dyna fyddai orau. Ond na, roedd yna rywbeth cyfriniol yn perthyn i'r cwt. Onid yn hwn yr oedd ei holl orffennol? Hwn oedd y ddolen gyswllt rhyngddo a'i orffennol. Hwn oedd y symbol o gychwyniad distadl ei daid. Roedd o hefyd yn pontio dau gyfandir a dau ddiwylliant. Trwy gyfraniad pellach ei dad, roedd yn cynrychioli'r Gymru newydd, fentrus a allai goncro'r byd. Ac roedd o fewn tafliad carreg hefyd i'r wibffordd. Y wibffordd brysur yr oedd pawb arni'n mynd i rywle.

Oedd, roedd y cwt yn bwysig. Hwn oedd y parhad. Roedd rhaid i'r cwt aros, er nad o bosib yn ei ffurf bresennol.

Cofiodd yn sydyn am Parri Witsh. Allai o ddefnyddio hynny, a'r gwaith y bwriadai ei wneud ar y cwt, fel esgus dros wrthwynebu'r gorchymyn?

Er gwaetha'r ffaith fod Wang-Ho yn berchen ar ffatri newydd sbon, a bod Syr Gwyn Jones ei hun wedi dod yno'n arbennig ar ei *zimmer-frame* (ar gost o 36 euro y cilometr o'i alltudiaeth ar Ynys Jersey) i'w hagor, hwn oedd ei gwt gweithio, ac yma y treuliai'r rhan fwyaf o'i ddiwrnod gwaith.

Aeth Wang-Ho allan o'r llyfrgell a cherddodd tuag at y cwt. Edrychodd yn ofalus ar bob modfedd ohono.

Efallai ei fod wedi ei baentio â phaent o liw brown, piblyd, ond roedd hwnnw o leiaf yn cuddio'r clytiau o rwd oedd yn araf orchuddio'r cwt cyfan. Roedd o fel map o ymerodraeth Prydain Fawr ar droad yr ugeinfed ganrif (y rhwd oedd yr ymerodraeth) ac roedd un rhan o'r rhwd, oedd yn debyg iawn o ran ei siâp i fap o Fôn, wedi breuo a phydru. Mor bwdr oedd y rhan honno o'r cwt fel y gallai plentyn teirblwydd go gry gnocio twll ynddi gyda'i ddwrn.

Gwahanol iawn oedd lliw y to bwaog.

Buasai yntau hefyd unwaith yn frown, ond gan fod Coed y Pry gerllaw, a haid ar ôl haid o adar brith o bob rhywogaeth wedi'i 'nelu hi am y Wig i nythu ers degawdau, naturiol oedd iddynt gymryd hoe ar ben to'r cwt sinc a dadlwytho ychydig o faw cyn symud ymlaen i glydwch eu nythod ar frigau Coed y Pry. Rhedasai'r baw i lawr y to gan orlenwi'r cafnau pydredig oedd fod i ddal y dŵr glaw, ond a oedd erbyn hyn yn dir ffrwythlon i bob math o dyfiant gwyrdd a gwyllt.

Crwydrodd llygaid Wang-Ho draw at y ffatri newydd. Roedd yn adeilad anferthol, cytbwys o ran ffurf a siâp, ac yn toddi'n naturiol i'w amgylchfyd. Rhedai llwybrau pwrpasol o darmacadam taclus o'i amgylch, a phlannwyd coed a phlanhigion chwaethus o'i amgylch.

Gwahanol iawn oedd yr hen gwt. Gwadnau a sodlau esgidiau ei daid a'i dad, ac yntau hefyd dros y blynyddoedd, a luniodd y llwybr bychan o'r plas i'r cwt, a doedd tiriogaeth y garddwr amser llawn ddim yn ymestyn mor bell â hyn, neu ni fyddai'r drain na'r mieri wedi cael cystal gafael ar y tir o'i amgylch. Ond roedd lle i gerdded yn hwylus at y drws bychan oedd yn arwain i mewn iddo.

Cerddodd Wang-Ho at y drws, agor y clo clap, a chamu i'r cwt. Safodd yn y ddwylath sgwâr ger y drws, oerodd a sibrydodd ei weddi, cyn camu ymlaen.

Silffoedd llydain, llawnion oedd yn meddiannu un ochr i'r cwt, ac roedd y silffoedd hynny yn amgueddfa i ddyfeisgarwch tair cenhedlaeth o feddyliau praff. Roedd pob *cyber* degan a grëwyd gan y taid, y tad a chan Wang-Ho yno. O *cyber-pet* hynafol y ganrif ddiwethaf a'i ddisgynyddion i greadigaeth olaf Weng-Hi, sef Motto, y ci bach electronig, oedd yn gwneud popeth fel ci cyffredin ar wahân i fawa a marw.

Dychwelodd Wang-Ho i'r llyfrgell yn fwy penderfynol nag erioed fod rhaid cadw'r etifeddiaeth. Myfyriodd.

Cyn i Wang-Ho adael y llyfrgell am yr eildro, edrychodd unwaith eto i fyw llygaid ei daid a gwenu. Roedd wedi dod i benderfyniad, ac roedd cynllun John Preis i weld y Seneddwr Puw yn syniad da. Aeth at y ffoniadur oedd ger y weleffôn. Pan welodd enw'r iard longau yng Nghaerheli gwasgodd fotwm. Yn y man daeth wyneb merch ifanc i'r sgrin.

"Iard longau Caerheli. Tracey yn siarad."

"Parri, plis?"

"Pwy?"

"Parri. Weldar."

"Un eiliad os gwelwch yn dda."

Aeth yr eiliad yn funud a hanner cyn i wyneb Parri ymddangos o'i flaen.

"Arclwy'! The Strongbô Kid!"

"Mae'n ddrwg genna i am bora 'ma!"

"Mi fues i'n disgw'l am hannar awr!"

Roedd y dôn gellweirus yn ei lais yn awgrymu'n wahanol.

"Pryd medrwch chi alw eto?"

"Ar fy ffordd i'r Groat heno?"

"Faint o'r gloch fydd hynny?"

"Syth o 'ngwaith – tua phump."

"Iawn. Mi fydda i wrth y cwt."

Wyddai Wang-Ho ddim yn iawn pam, ond roedd yna gysgod o wên yn hofran ar ei wyneb wrth iddo ddiffodd ei weleffôn. Roedd o'n edrych ymlaen at weld Parri.

Rŵan, a'r prynhawn cyfan o'i flaen, beth a wnâi? Estynnodd lythyr y cyngor sir. Darllenodd ef yn ofalus unwaith eto. Damia! Na! Doedd dim awydd arno fynd i'r afael â'r broblem hon heddiw.

Llithrodd ei feddwl yn ôl i'r noson cynt. Roedd y frawddeg yna yn mynnu dychwelyd i'w ben o hyd.

'Wang-Ho un dydd fydd grëwr merch
o sglodion dysg a sglodion serch ...'

Fe fyddai hynny'n sialens! Creu merch! Estynnodd bapur a phensil a dechreuodd ysgrifennu.

Cyn iddo sylweddoli hynny fe lithrodd awr heibio ac roedd y syniad wedi cydio. Roedd yna ffyrnigrwydd creadigol wedi gafael ynddo. Dawnsiai'r bensil ar hyd y papur yn sgriblo syniadau a fformiwlâu. Dalen ar ôl dalen yn llenwi, ac yntau'n methu atal ei hun. Am y tro cyntaf ers blynyddoedd fe'i meddiannwyd â'r awydd i greu.

Pennod 3

PEDWAR O'R GLOCH! Fe fyddai Parri yma mewn awr!

Aeth Wang-Ho at NESTA a gwasgu'r botwm trydan.

"Prynhawn da, NESTA?"

Fflachiodd y goleuadau, a chwyrlïodd y disgiau. Goleuodd y monitor a chracliodd y *speaker*.

"Mae NESTA yn nabod llais Wang-Ho."

"Faint o gof sydd gan NESTA?"

"Ugain triliwn 'zigabeit."

"Faint sydd eisoes wedi ei ddefnyddio?"

"Un pwynt chwech triliwn 'zigabeit."

"O ddefnyddio cof NESTA ar raddfa'r pedair blynedd diwethaf, am faint o amser y medrwn ni ddefnyddio NESTA eto?"

"Saith mil o flynyddoedd, wyth wythnos, pum niwrnod, chwech awr a deuddeng munud."

Tra chwydai NESTA'r wybodaeth ato, roedd Wang-Ho yn prysur godi nodiadau. Pennawd ei nodiadau oedd y frawddeg:

'Wang-Ho un dydd fydd grëwr merch …'

Daethai'r syniad iddo'n raddol.

Roedd o wedi bod yn meddwl ac yn meddwl am y llais a glywsai ar ei ffordd adref, ac roedd yn argyhoeddedig erbyn hyn mai ei dad neu ei daid oedd wedi llefaru wrtho. Ac roedd ymateb Nain Cedora i'w stori wedi gwneud iddo feddwl ymhellach. Mae'n wir na bu iddi hi, yn ystod ei gof o beth bynnag, fod â rhan flaenllaw yng ngweith-gareddau'r cwmni, ond doedd bosib nad oedd ei dad a'i daid yn ymddiried llawer ynddi? Yn ddiweddar roedd hi wedi mabwysiadu mantell warchodol iawn tuag ato. Tra oedd hi ar yr un llaw yn benderfynol o'i yrru i gyfeiriad cwbl newydd, fedrai o ar y llaw arall ddim peidio â chael y teimlad ei bod yn dal rhywbeth yn ôl. Beth oedd hwnnw tybed?

Ta waeth, yr hyn a lenwai ei feddwl yn awr oedd ei syniad newydd. Dyma fyddai ei greadigaeth fawr. Byddai'n creu merch hardd, ddeallus a fyddai'n gwmpeini bythol iddo. Rhywun i lenwi'r gwacter oedd yn ei fywyd. Troes at NESTA.

"Beth ydi dichonoldeb creu NESTA symudol?"

"NESTA symudol?"

"*Cyber-pet* symudol."

"Mae Motto yn *cyber-pet* symudol."

"Ydi NESTA yn osgoi ateb?"

"Negyddol. Dydi NESTA byth yn osgoi ateb."

"Oes posib creu NESTA symudol?"

"Negyddol. Mae NESTA yn rhy drwm i'w symud. Mae pwysau NESTA yn naw can kilo."

"Fyddai'n bosib creu NESTA symudol?"

"Pa mor drwm mae Wang-Ho yn fodlon i NESTA symudol fod?"

Edrychodd Wang-Ho ar y nodiadau o'i flaen cyn ateb. "Tua chwe deg kilo."

"Beth fydd maint bocs NESTA symudol?"

"Un pwynt saith metr o uchder, pwynt saith pump metr o led a phwynt pump metr o drwch."

"Beth fydd deunydd bocs NESTA symudol?"

"Gwawn."

"Negyddol. Dydi gwawn ddim yn ddefnydd cydnabyddedig i greu NESTA symudol ohono."

"Mae Wang-Ho yn dweud fod gwawn yn iawn, NESTA."

"Cadarnhaol. Bydd angen deuddeng metr sgwâr o wawn, bydd y bocs cyfan yn pwyso 500gram pan fydd yn wag."

"Faint ydi pwysau dwy ddisgen HXL, ugain metr o geblau, deuddeg gwe pwynt dim dim dau milimetr o drwch, a chant a hanner o ficro-djips deunaw pìn ar hugain. Chwe bocs mewnbwn ultra-HDS a dau focs allbwn demi-gwrd. Hanner cant o fyrddau cylched cyfyng gyda phedwar ugain o asiadau sodor rhwyddlif arnyn nhw?"

"Saith deg kilogram chwe deg saith gram."

"A faint o fyrddau cof mewn gigabeits fyddai'n rhoi'r pwysau priodol i mi?"

"Un pwynt dau 'zigabeit."

Bu Wang-Ho yn ysgrifennu'n brysur am ennyd.

"Mae'n bosib felly!"

"Beth sydd yn bosib, Wang-Ho?"

"Creu NESTA symudol!"

"Negyddol. Dydi hi ddim yn bosib creu NESTA symudol. Mae NESTA yn rhy drwm i fod yn symudol."

"Ond mae'n bosib creu NESTA fach symudol?"

"Cadarnhaol. Mae'n bosib creu NESTA fach symudol sydd yn saith deg kilogram chwe deg saith gram gydag un pwynt dau 'zigabeit o gof."

Dyna'r cadarnhad! Roedd hi'n bosib creu merch o djips! Nid breuddwyd gwrach oedd ei syniad felly.

"Cwestiwn i Wang-Ho."

Cododd Wang-Ho ei ben yn sydyn o'i bapurau. Doedd NESTA erioed wedi gofyn cwestiwn iddo o'r blaen. Ateb cwestiynau oedd ei phriod waith hi. Bod yn fwynglawdd o wybodaeth iddo fo gael cloddio ynddo a chael atebion parod i broblemau dyrys ei waith bob dydd. Ceisiodd ddychmygu ymhle yn ei chof yr oedd Wing-Ha wedi rhoi'r gallu i ofyn cwestiwn?

"Cwestiwn i Wang-Ho."

Byddai'n rhaid iddo geisio'i hateb.

"Beth ydi cwestiwn NESTA?"

"Beth yw pwrpas creu NESTA fach symudol?"

"Pam mae NESTA isho gwybod?"

"Beth yw pwrpas creu NESTA fach symudol?"

"Pam mae NESTA isho gwybod?

"NESTA isho gwybod. NESTA isho gwybod. NESTA isho gwybod." Roedd hi'n bihafio fel plentyn.

"Does gan Wang-Ho ddim rhagor o gwestiynau i NESTA!"

"Fedr NESTA ddim ateb yr un cwestiwn eto heb gael gwybod."

Y bitsh fach!

"Gwybod beth?"

"Beth yw pwrpas creu NESTA fach symudol?"

"Mater i Wang-Ho yw hynny. Pwrpas NESTA ydi ateb unrhyw gwestiwn gan Wang-Ho!"

"Ddim nes caiff NESTA wybod beth yw pwrpas creu NESTA fach symudol."

"Pa flwyddyn y rhoddodd Prydain Fawr Hong Kong yn ôl i Tsieina?"

"Fedr NESTA ddim ateb nes bydd Wang-Ho wedi dweud beth yw pwrpas creu NESTA fach symudol."

"Pwy oedd crëwr NESTA?"

"Fedr NESTA ddim ateb. Fedr NESTA ddim ateb. NESTA yn mynd i gysgu. Gorlwytho yn PIN3456GF, nam ar PIN3456GF. Nam … nam … nam …"

A chydag ochenaid, diffoddodd y sgrin a rhoddodd un fflach werdd cyn distewi.

"NESTA!"

Fflachiodd y sgrin unwaith eto, a daeth NESTA yn fyw.

"Mae NESTA yn adnabod llais Wang-Ho."

"Pa flwyddyn y rhoddodd Prydain Hong Kong yn ôl i Tsieina?"

"Fedr NESTA ddim ateb nes bydd Wang-Ho yn dweud beth yw pwrpas creu NESTA fach symudol."

Unwaith eto. Y Bitsh! Dyna'r gair cyntaf a ddaeth i feddwl Wang-Ho. Pwy ar wyneb y ddaear roedd hi'n meddwl oedd hi? Fyddai hi wedi trin Weng-Hi neu Wing-

Ha fel hyn? Oedd o'n mynd i'w hateb? Ac os oedd o, sut ar wyneb y ddaear yr oedd o'n mynd i wneud hynny? Oedd o'n mynd i fod yn onest a dweud ei fod yn chwilio am gymar? Rhywun deallus i fod yn gwmni iddo gyda'r nosau? Rhywun y gallai dreulio'i amser yn trin a thrafod gyda hi agweddau ar weithiau'r Bardd Cwsc, neu broblem ymarferol goresgyn trosgyniaeth fagnedol? Oedd o'n mynd i gyfaddef wrth beiriant ei fod o'n swil ac yn unig? Nac oedd! Pam dylai o? Diffoddodd NESTA.

Aeth allan o'r cwt a'i gloi. Âi i weld Nain Cedora.

* * *

"Be wyt ti am 'neud?"

"Dw i'n meddwl mynd i Fachynlleth fory."

"Ti!?"

"Pam?"

"Dwyt ti 'rioed wedi bod yn unlle o'r blaen! Fyddi di byth yn mynd i nunlle!"

"Mi fûm i'n y Groat neithiwr ..."

Chwerthin a wnaeth Cedora. O'r diwedd roedd yr hogyn yn dechrau newid. Roedd o'n dechrau ymdebygu i'w daid a'i dad.

"A be w't ti am 'neud ym Machynlleth?"

"Mynd i weld hen ffrind i Taid ..."

"Ac os llwyddi di?"

"Os llwydda i, fe geith y cwt ei ailadeiladu ..."

Ni chafodd ddweud gair ymhellach. Ffrwydrodd y gair o enau ei nain.

"Na!"

"Be?"

"Dwyt ti DDIM i'w ailadeiladu o!"

"Ond mae o wedi rhydu ... tydi o ddim yn saff ..."

"Gei di newid neu batsho'r darnau rhydlyd."

"Ond fe fydd angen codi waliau cerrig at ei hanner o."

"NA! Cwt sinc fuodd o, a chwt sinc fydd o."

"I ddechra ma'r ffrâm 'di dechra pydru. Mi fedra i hyd yn oed weld hynny ..."

"Atgyfnertha hi."

"Ond fe fydd yn rhatach i'w hailadeiladu!"

"Paid ti â bod mor ddibris o'th orffennol. Does a wnelo cost ddim oll â chadw na chynnal y cwt. Cwt dy daid oedd o. Drwy'i chwys a'i lafur o, a dy dad hefyd, y codwyd ac y cynhaliwyd y cwt yna. Paid ti â meddwl am eiliad y cei di, ar chwara bach, 'neud fel y mynni ag o. Ble ma' dy falchder di? Ble ma' dy barch di at dy orffennol ac at dy hynafiaid?"

Doedd Wang-Ho erioed wedi gweld yr ochr hon i Nain Cedora o'r blaen. Oedd yr hen wraig yn dechrau ffwndro?

"Dw i'n trio edrych ar hyn fel y basa Taid neu Dad yn 'neud." Closiodd at Cedora a rhoddodd ei law ar ei braich. "Ma' synnwyr cyffredin yn deud y basa hi'n costio hannar cymaint i'w chwalu o a'i ailgodi o na thrio'i drwsio fo."

"Ond nid yr un cwt fydd o wedyn!"

Un ddadl arall oedd gan Wang-Ho ar ôl. Ei gerdyn olaf.

"Dw i ddim yn gweld sut y medrwn ni oresgyn nac ymladd y gorchymyn yma, heb addo i'r cyngor sir y bydd y cwt yn cael ei ddymchwel, ac y byddwn ni'n codi un tebyg, modern yn ei le."

"Dw't ti ddim yn dallt nac yn gweld, 'nacw't? Pam ar wynab y ddaear yr wyt ti'n mynd i Fachynlleth fory?"

"I weld y Seneddwr Puw."

"Puw!"

"Fo ydi'r Gweinidog Cyllid, ac mae o'n cyfarfod cadeirydd cyngor sir Tiroedd Llywelyn yr wythnos nesa. Dw i'n siŵr, petai o'n awgrymu i'r cyngor sir y bydda pethau'n haws arnyn nhw a'u problemau ym myd addysg petai'r cwt yn cael ei ailgodi ..."

"Pach! Chwarae politics ydi hynna ... mi fedra i setlo problem y cwt i ti hefo un alwad ffôn!"

"Nain!"

"Un alwad ffôn!"

Roedd hi'n ei herio, gwyddai Wang-Ho hynny. Efallai mai gadael pethau fel yr oeddynt fyddai orau am sbelan. Penderfynodd newid trywydd y sgwrs.

"Fe ddigwyddodd 'na rywbeth od i mi ar fy ffordd adre o'r Groat neithiwr."

Cododd yr hen wraig ei phen.

"Mi welais i olau mawr, a llais yn adrodd parodi ar un o gerddi Cynan!"

Yn sydyn roedd Cedora yn glustiau i gyd.

"W't ti'n 'i chofio hi?"

"Ddim i gyd, ond mi sgwennais i be oeddwn i'n ei gofio ar ddarn o bapur."

"Darllan hi! Darllan hi!" Roedd llais Cedora yn gyffro i gyd.

Estynnodd Wang-Ho'r darn papur o'i boced a darllenodd y gerdd. Cododd ei olygon ac edrychodd ar ei nain. Roedd wyneb Cedora fel y galchen a rhyw gryndod wedi cydio yn ei chorff.

"Wing-Ha a Weng-Hi," sibrydodd yn floesg. "Blodyn Tatws!" Gwaeddodd y ddeuair cyn i'w phen ddisgyn ar ei brest.

Llamodd Wang-Ho ati.

"Nain! Nain!" gwaeddodd. Gwnaeth gwpan â'i ddwylo a chododd ei phen. "Nain! Dach chi'n iawn?" Gwaeddodd ar Ron.

Rhedodd i'r gegin i nôl gwydraid o ddŵr a phan ddychwelodd gafaelodd am ysgwyddau ei nain tra ceisiai roi llymaid iddi. Pesychodd Cedora wrth i'r dŵr daro'i gwddf a llithro i'w stumog. Yn araf dadebrodd. Arhosodd Wang-Ho wrth ei hochr nes y daeth ati'i hun.

O rywle cyrhaeddodd Ron.

"Be ddigwyddodd?"

"Nain wedi ca'l pwl ..."

"Mi a' i i ffonio'r doctor."

Ysgwyd ei phen a wnaeth Cedora.

"Na! Rhyw hen blwc ... yli ... ewch! Ewch chi rŵan. Gadwch lonydd i mi am ychydig. Gin i waith meddwl."

Amneidiodd â'i llaw ar i Wang-Ho a Ron ei gadael. Gwnaeth Wang-Ho arwydd ar Ron i adael yr ystafell, a dychwelodd yntau at ochr ei nain.

"Pw' 'di Blodyn Tatws?"

Ysgydwodd yr hen wraig ei phen drachefn.

"Mi gawn ni siarad pan fydda i'n well."

Ac yno y gadawodd Wang-Ho hi. Siarsiodd Ron i gadw llygad cyson arni. Oedodd am ychydig cyn gadael yr Henblas.

Pam ar wyneb y ddaear yr oedd hi wedi cyfeirio at Wing-Ha a Weng-Hi? Oedd hi'n meddwl mai un ohonyn nhw oedd wedi siarad hefo fo? Ceisiodd gofio'r llais. Ond doedd llais ei dad na'i daid ddim yn gweddu rywsut. Neu oedden nhw? Onid oedd yna ryw fath o eco yn y llais? Oedd hynny'n awgrymu rhyw gysylltiad â'r gorffennol? Pam roedd ei nain wedi meddwl mai Wing-Ha neu Weng-Hi oedd wedi siarad hefo fo?

Cofiodd Wang-Ho fod Parri wedi addo galw am bump o'r gloch. Byddai'n well iddo ei throi hi am y cwt. Rhoddodd Want-Ho ei ben heibio i ddrws y Llyfrgell unwaith eto cyn gadael. Roedd Nain Cedora yn dal i eistedd yno yn rhythu i nunlle a rhyw hanner gwên ar ei hwyneb.

* * *

"Be w't ti isho'i 'neud iddo fo?"

"Sbiwch arno fo!"

Edrychodd Parri yn hir ar y cwt. Cerddodd o'i amgylch. Ciciodd ei odre a chododd ei olygon tua'r to. Ysgydwodd ei ben.

"Un atab sy."

"Be?"

"Bwldosar!"

"Na!"

"Ma' 'na waith dychrynllyd arno fo."

Unwaith eto dyrchafodd ei lygaid tua'r to ac ysgwyd ei ben.

"Ga i fynd i mewn?"

Agorodd Wang-Ho'r drws ac amneidio ar i Parri arwain y ffordd. Fel y cerddai Wang-Ho y tu ôl iddo, troes Parri yn sydyn ar ei sawdl a rhuthro heibio iddo ac allan.

"Arclwy'!"

"Be sy matar?" Aeth Wang-Ho yntau allan.

Roedd Parri yno yn ei gwrcwd, ei ddwylo ymhleth dan ei geseiliau, a'i gorff yn crynu i gyd.

"Ma' 'na … ma' 'na betha yna!"

"Be?"

"Ma' nhw'n gry'!"

"Be sydd 'na?"

"Ysbrydion."

Camodd Wang-Ho yn ôl i'r cwt. Aeth yr un ias drwy'i gorff eto, yn union fel yr oedd wedi digwydd iddo droeon o'r blaen, ond credai Wang-Ho erbyn hyn fod hynny'n naturiol. Aeth i'r gornel a throi swits y gwres. Doedd dim posib cael gwared o'r ias nes byddai'r cwt wedi cynhesu. Daeth Parri at y drws.

"Wyt ti'n clywad 'u hoerni nhw?"

"Dw i'n teimlo hen ias oer bob tro dw i'n cerddad drw'r drws yn y bora …"

"Ysbrydion etheraidd ydyn nhw."

Doedd Wang-Ho ddim yn deall. Beth ar wyneb y ddaear oedd ysbrydion etheraidd? Edrychodd eto ar Parri. Oedd o'n tynnu'i goes? Na, roedd yr olwg ar ei wyneb yn gwbl ddifrifol ond roedd y cryndod yn dal i ysgwyd ei gorff.

"Oes gynnoch chi'u hofn nhw?"

"Nac oes siŵr Dduw! Tydw i wedi rhyddhau canno'dd

ohonyn nhw yn 'y nydd."

"Pam dach chi'n crynu 'ta?"

"Mae dod wynab yn wynab hefo nhw yn sugno'r nerth o 'nghorff i."

"Ydyn nhw'n dal yma?"

Caeodd Parri'i lygaid yn dynn, yna nodiodd.

"Ydyn ... mae 'na o leia ddau 'ma." Agorodd ei lygaid ac edrychodd o'i amgylch. Chwythodd anadl ddofn drwy'i geg cyn ebychu, "Whwww. Maen nhw 'di mynd!"

"Gawn ni gario 'mlaen, 'lly?"

Gwenu ddaru Parri. Estynnodd lyfr nodiadau a phensil o'i boced a bu wrthi'n ofalus yn archwilio'r cwt. Bu wrthi'n ofalus hefyd yn gwneud diagramau ac yn mesur. Wedi bod wrthi am gryn ugain munud, caeodd ei lyfr nodiadau a rhoddodd hwnnw a'i bensil yn ei boced. Disgwyliai Wang-Ho am y ddedfryd.

Safodd Parri unwaith eto ynghanol y llawr ac edrych rownd yn ofalus cyn dweud dim.

"Y peth rhata fydd 'i chwalu fo, a chodi un o'r cytia *pre-fabs*, dur, newydd 'ma – rheini ma'r ffarmwrs yn eu hiwshio fel sguboria. Deuddag cwrs o flocs, ffrâm o ddur a shîtia sinc. Weldio'r ffrâm a phowltio'r sinc."

"Dw i'm isho'i chwalu o. 'I drwsio fo dw i isho."

"Mega-bycs!"

"Fedrwch chi'i 'neud o?"

"Ti isho gwbod be sydd isho'i 'neud gynta?"

Nodiodd Wang-Ho.

"Rhaid i chdi ga'l sinc newydd reit rownd. Dy broblam leia di 'di hynny. Sbia bonion yr ypraits 'ma. Mewn pridd ma' nhw nid mewn concrit. Bob un ohonyn nhw 'di dechra cancro. Duw ŵyr sut ma' nhw dan y ddaear. Ma' 'na bosib 'i 'neud o. Gan ma' RSJs ydyn nhw, mi fedrwn i weldio neu fowltio strips deg troedfadd bob ochor iddyn nhw, ond fe fasa'n rhaid i chdi fytresu pob un, bob ochor, a gosod y bytresi mewn concrit."

"Ma'n bosib 'i 'neud o 'lly?"

"Mae'n bosib, yndi, ond fe fydd yn ddiawledig o ddrud!"

"Faint o amsar gym'rith o?"

"A gweithio'n amsar llawn, mae 'na waith i ddau am fis yma. Fe fydd rhaid clirio popeth o 'ma."

"Amhosib! Rhaid i mi ga'l lle i weithio."

Am un ennyd, teimlai Parri fel ffrwydro. Er mai prin adnabod Wang-Ho yr oedd o, roedd o'n cael y teimlad fod y dyn yma'n trethu ei amynedd. Gwallgofrwydd oedd trwsio'r cwt yn y lle cyntaf. Ond, mae'r cwsmer wastad yn iawn, a hefo cyfoeth Wang-Ho mater iddo fo, Parri, fyddai gweithio rownd hynny.

Pwyntiodd at y to.

"Fe fydd rhaid rhoi dwy shîtan yn fan'cw'n go handi, ne' fe fydd rhaid i dy gompiwtar di 'neud y bac-strôc o'ma pan ddaw'r gafod nesa o law."

"Faint o amser gym'rith hi i chi weithio pris – ar bapur!"

"Rhyw ddau dd'wrnod."

"A phetai'r pris yn iawn, pryd fedrwch chi 'neud y gwaith?"

"Dw i'n yr iard longau am bythefnos arall."

Nodiodd Wang-Ho ei ben. Byddai hynny'n gweithio'n iawn. Gyda lwc byddai wedi setlo bygythiad y dymchwel erbyn hynny, a byddai ganddo bris ar bapur i'w roi gerbron unrhyw swyddog o'r cyngor sir ymhen deuddydd.

Gwelodd Parri'n edrych ar ei wats. Roedd y Groat yn galw!

"Well i mi fynd."

"I chi ga'l galwyn neu ddau!"

"Yli, os bydda i'n dod yma i weithio, 'sa well i chdi ddechra 'ngalw i'n ti"

Ond rhywbeth arall oedd ar feddwl Wang-Ho y funud honno, ac ni welai yr un ffordd o arwain y sgwrs i'r cyfeiriad hwnnw heb ofyn cwestiwn uniongyrchol.

"Pwy dach chi'n 'feddwl oedd yr ysbrydion yna?"

"Dwn i'm Duw. Fe allen nhw fod yn rhywun gafodd ddamwain ar y ffor', neu rywun fuo farw yn y cyffiniau. Fel arfar, be sy'n digwydd ydi fod ysbrydion yn hofran o gwmpas rhywla sy'n golygu rh'wbath iddyn nhw. Fel tasan nhw'n methu, neu ddim isho torri cysylltiad â'r lle am ryw reswm."

"Fuodd 'na ddamweinia ar y ffor' 'ma?"

"Do siŵr o fod. Dega ella 'geinia. Pw' ŵyr?"

Ofni awgrymu yr hyn oedd newydd groesi ei feddwl yr oedd Wang-Ho. Daethai i'w feddwl tybed ai ysbrydion Wing-Ha a Weng-Hi oedd yn y cwt?

Yn sydyn, roedd ar Wang-Ho angen mwy o wybodaeth am ysbrydion. Pob math o wybodaeth. A'r person amlwg i'w holi'n gyntaf oedd Parri.

"Am faint fyddwch chi yn y Groat?"

Edrychodd Parri ar ei wats.

"Tan chwarter wedi chwech."

Na, doedd dim digon o amser ganddo i gael sgwrs bellach heddiw.

"Ella do i draw nos fory. Mi leciwn i wbod mwy am yr ysbrydion 'ma."

" 'A little knowledge is dangerous' medda rhywun."

"Dyna oedd yn mynd drw' fy meddwl inna 'fyd."

"Tan nos fory 'lly?"

"Tan nos fory."

Ac fe aeth.

Dychwelyd i'r cwt a wnaeth Wang-Ho, a mynd yn syth am fotwm cychwyn NESTA. Roedd am weld i ddechrau a oedd hi'n dal yn styfnig. Y tro hwn roedd ateb parod ganddo.

"NESTA?"

"Mae NESTA yn adnabod llais Wang-Ho."

"NESTA. Ym mha flwyddyn y trosglwyddwyd Hong Kong yn ôl i Tsieina?"

"Beth yw pwrpas creu NESTA fach symudol?"

"Mae Wang-Ho yn meddwl mynd i ffwrdd am beth

amser i weithio. Bydd rhaid iddo gael peth gwybodaeth hefo fo."

"Gellir cysylltu â NESTA drwy linell PABX, ISDN, neu linc loeren."

"Fydda i ddim bob amser o fewn cyrraedd llinellau o'r fath – hanner gwyliau fydd hwn."

Bu pum eiliad o dawelwch.

"1997"

"Be?"

"Yn 1997 y trosglwyddwyd Hong Kong yn ôl i Tsieina."

Bu bron i Wang-Ho ollwng ochenaid hir o ryddhad pan glywodd ei hateb. Gallai'n awr ganolbwyntio ar yr ysbrydion.

"NESTA, oes gen ti wybodaeth o gwbl am ysbrydion?"

"Cadarnhaol."

"Faint o wybodaeth?"

"Ugain 'zigabeit. Yr holl wybodaeth o saith gant un deg wyth o gyfrolau. Allen, R.J. *Ghosts' Who's Who*; Bentley, S.M *A Gazeteer of Ghosts*; Biskley, M.L. *The World's Haunted Heritage*; Booerman, K.J. *The World of the Paranormal*; Christian, H.K. *Ghosts Galore ...*"

Doedd Wang-Ho ddim eisiau gwybod yr holl deitlau. Torrodd ar ei thraws.

"NESTA, o ble cest ti'r wybodaeth?"

"Wing-Ha a Weng-Hi. Mawrth, Ebrill a Mai, 2045. Cyfanswm oriau mewnbwn dau gant a thair, saith deg awr o sganio, cant tri deg tair awr o ddadansoddi."

"NESTA. Pam ddaru nhw fewnbynnu'r wybodaeth?"

"Negyddol. NESTA'n methu ateb."

Cwestiwn gwirion braidd meddyliodd Wang-Ho. Ond mae'n rhaid fod yna reswm digonol pam y bu i'w dad a'i daid drosglwyddo'r holl wybodaeth oedd yn y llyfrau i gof NESTA. A gwneud hynny ychydig fisoedd cyn eu marwolaeth.

"NESTA. Oedd Wing-Ha a Wang-Ho yn gweithio ar

brosiect arbennig cyn iddyn nhw adael?"

"Cadarnhaol."

"Beth oedd y prosiect?"

"Negyddol. All NESTA ddim ateb. Llais Weng-Hi yn unig all fynd at gof NESTA."

"Neu gyfrinair?"

"Cadarnhaol. Os gall Wang-Ho ddweud y ddau gyfrinair, fe all NESTA ateb."

"NESTA fedri di ddweud wrtha i beth ydi'r ddau gyfrinair?"

"Negyddol. Dim ond wrth lais Weng-Hi y gall NESTA ateb."

Ni welai Wang-Ho bwrpas parhau ar y trywydd hwnnw, ond tybed ar beth roedd Weng-Hi yn gweithio? Rhywbeth mor gyfrinachol fel nad oedd eisiau i Wing-Ha na Wang-Ho wybod amdano.

Byddai'n llawer gwell iddo fyfyrio ychydig eto, dechrau yn y dechrau a pharatoi cwestiynau manwl i NESTA.

Yn y cyfamser roedd ganddo fil a mwy o gwestiynau i'w gofyn am ysbrydion. Ond ble'r oedd o'n mynd i ddechrau?

Yna cofiodd un peth a ddywedodd Parri wrtho. Mae ysbrydion yn glynu mewn man arbennig am fod ganddynt gysylltiad penodol â'r lle hwnnw. Pwy felly allai fod ynghlwm â'r cwt? Ei dad a'i daid? Tybed?

"NESTA faint o bobol sy wedi eu lladd o fewn radiws o ddwy filltir i'r cwt yma?"

"Ers cof NESTA, saith."

"Ymhle yn union y cawson nhw 'u lladd?"

"Pump ym mhentref Llandwfog, dau ar dir yr Henblas."

"Pwy fuodd farw ar dir yr Henblas?"

"Magdalen Smith, saith ar hugain oed, yn 1798. Cafodd ei llofruddio a dienyddwyd ei llofrudd. Yr ail oedd Thomas Evan Hughes, un ar hugain oed, yn 1896. Yn ôl adroddiad yn y *Genedl*, Mehefin 27ain, 1896, tudalen 3, cafodd ei daflu oddi ar ei geffyl ar noson stormus."

"Un o ble oedd Magdalen Smith?"

"Sir Gaerfyrddin. Roedd hi'n forwyn yn yr Henblas."

"A Thomas Evan Hughes?"

"Yn ôl cyfrifiad 1891 roedd Thomas Evan Hughes yn byw yn Cesarea, Sir Gaernarfon."

"NESTA, oedd un o'r rhain o gwbl yn gysylltiedig â theulu Cedora Hughes, gwraig Wing-Ha.?"

"Cadarnhaol. Gellir olrhain llinach Cedora Hughes, Abersedach yn ôl i frawd Thomas Evan Hughes."

O'r diwedd, teimlai Wang-Ho ei fod yn mynd i rywle. Roedd yna gysylltiad rhwng rhywun fu farw ar diroedd yr Henblas a fo. Cysylltiad uniongyrchol. Ond roedd hynny'n rhoi tolc yn ei ddamcaniaeth, a'i hanner gobaith, mai ysbryd Wing-Ha neu Weng-Hi oedd yn y cwt.

Gallai holi Nain Cedora am Thomas Evan Hughes eto. Byddai gwybodaeth fwy cyffredinol yn fwy o werth iddo rŵan – cyn cyfarfod Parri drannoeth.

"NESTA, wyt ti'n gw'bod be sy'n digwydd i berson pan fydd o'n marw?"

"Cadarnhaol. Yn yr eiliadau cyn marw, mae'r ymwybod yn treiddio i lefel uwch o fodoli. Weithiau bydd perthnasau neu gyfeillion agos yn ymddangos – mewn corff yn ogystal ag mewn ysbryd. Yna mae'r ymadawedig yn pasio o'r corff cnawdol i'r corff etheraidd."

"Ydi'r broses hon yn weladwy i fodau meidrol eraill?"

"Cadarnhaol. Gall weithiau ymddangos fel llinyn arian yn codi o'r bogail, neu o'r ymennydd. Gall yr ysbryd hofran weithiau am rai dyddiau uwchben ei gorff marw ei hunan."

"Beth ydi'r corff etheraidd?"

"Math o dŷ hanner ffordd rhwng y cnawdol a'r ysbrydol. Pan fydd person yn marw, mae'r ymwybod yn pasio o'r corff cnawdol i'r corff etheraidd, ond os yw'r ymwybod yn oedi yn y corff etheraidd yn rhy hir, gall yr ysbryd gael ei ddal a'i gaethiwo."

"Am ba hyd?"

"I'r corff etheraidd yr un yw pum munud â chan mlynedd."

"Sut mae ysbrydion yn rhyddhau eu hunain o'r corff etheraidd?"

"Gan amla drwy gymorth ysbrydegwyr; weithiau fe allan nhw'u ryddhau'u hunain."

"Be sy mor arbennig am ysbrydegwyr?"

"Maen nhw'n taflu llewyrch seicig, math o oleuni anweledig sy'n denu ysbrydion atyn nhw."

Bu Wang-Ho yn cnoi cil ar yr wybodaeth hon am beth amser. Byddai'n rhaid iddo'n gyntaf sefydlu a oedd Parri yn 'ysbrydegwr'.

* * *

Pan ddychwelodd Wang-Ho i'r Henblas, aeth ar ei union i'r Llyfrgell. Daeth Ron i'w gyfarfod. Gwenodd hwnnw fel hogyn drwg arno a chododd ei fawd. Roedd Nain Cedora yn well felly. Y munud yr agorodd o'r drws dechreuodd y croesholi.

"Be 'nest ti am y llythyr 'na?"

"Dim."

"Dim?"

"Petha er'ill ar 'y meddwl i. Dach chi'n well?"

"Doedd o 'm byd."

"Sa'n well i chi weld Dr Hain?"

"Pach! Dau wydraid o wermod lwyd ac mi fydda i'n iach fel cneuan."

Ac ni soniwyd ychwaneg am ei hiechyd nac am y cwt.

Sylwasai Cedora fod Wang-Ho yn dawelach nag arfer wrth fwyta'i swper. Efallai mai dyma'r amser iddi wthio i'r dwfn.

"Be arall sydd ar dy feddwl di 'lly?"

"Dwn 'im 'sach chi'n dallt."

"Tria fi!"

Petai Wang-Ho'n onest, byddai'n cyfaddef iddo'i hun mai yn fwriadol y cadwasai'n ddistaw uwch ei bryd bwyd. Ei obaith oedd cael Nain Cedora i'w holi o; gallai yntau wedyn gael at y gwirionedd ganddi hi.

" 'Sgin ti ben mawr ar ôl neithiwr?"

"Nac oes. Ond dw i wedi bod yn meddwl llawer am be ddeudsoch chi ... a be ddigwyddodd i chi'r bore 'ma."

Roedd wedi dewis ei eiriau'n ofalus ac yn ceisio edrych yn ddidaro tra gwyliai hi fel barcud drwy'r amser. Gwelodd hi'n tynnu'i gwynt ati, ac yn rhoi ei fforc a'i chyllell i bwyso ar ochr ei phlât.

"Anghofia fo!"

"Sut fedra i 'i anghofio fo?"

"Wedi meddwi oeddach chdi!"

"Nage ddim, ac fe wyddoch chi hynny. Mi glywis i'r llais, ac fe ddeudis i wrthach chi be ddeudodd o. Be sy'n ddirgelwch i mi ydi'ch ymateb chi."

"Ca'l hen bwl cas wnes i ..."

"Pan glywsoch chi'r geiria 'Blodyn Tatws'!"

"Nage ddim! Pam ddiawl est ti i'r Groat 'na!"   ˙

"Chi ddwedodd wrtha i am fynd!"

"Paid ... rwyt ti'n fy nrysu i ..."

"Ac mi rydw i'n bwriadu mynd heno. Ella digwyddith o eto."

"Na!"

"Deudwch wrtha i 'ta!"

"Cyd-ddigwyddiad oedd o."

"Cyd-ddigwyddiad o'dd be?"

"Blodyn Tatws."

"Be dach chi'n 'feddwl 'cyd-ddigwyddiad'?"

Ochneidiodd yr hen wraig. Gafaelodd yn ei diod a chymryd cegaid, a llyncu. Sylwodd Wang-Ho fod ei llaw yn crynu.

"Roedd gan dy daid freuddwyd fawr ers blynyddoedd.

Fe fuo'n gweithio yn y dirgel hefo un o'i ffrindia yn y senedd ..."

"Gweithio ar be?"

"Clonio cynghorwyr a seneddwyr."

"Be?!"

"Wrth adeiladu NESTA y daeth y syniad iddo fo. Fe sylweddolodd mai mater bychan fyddai trosglwyddo miliynau o ffeithiau ac ystadegau i unrhyw ymennydd dynol, yn union fel ag y gwnaeth gyda NESTA. Llaw-driniaeth syml yn gosod tjip yn y braster dan yr ysgwydd, a throsglwyddydd wedi ei gysylltu â derbynnydd yn yr ymennydd. Peth digon hawdd i'w wneud gyda bodau dynol. Ond roedd o am fynd gam ymhellach. Roedd o eisiau creu bywyd newydd. Ond fe sylweddolodd fod ganddo fo broblemau dirfawr ..." ac fel pe bai'n cael gwared â phwysau enfawr oddi ar ei hysgwyddau, ochneidiodd Cedora cyn ychwanegu "... ar y rheini yr oedd o a dy dad yn gweithio pan fuon nhw farw."

"A ddeudon nhw ddim wrtha i?"

"Roeddat ti mor brysur hefo dy bethau dy hunan! Fi ddeudodd wrthyn nhw am ddal yn ôl. Roeddwn i ofn iddyn nhw drafod neu daflu eu problema atat ti, oherwydd y math o berson wyt ti."

"Be dach chi'n 'feddwl – y math o berson ydw i?"

"Petawn i'n deud be o'dd y problema, ella y byddi di'n dallt yn well."

"Be oeddan nhw?"

"Enaid, cydwybod, ewyllys a theimladau."

"Be? Dw i'm yn dallt?"

"Meddylia am y peth Wang-Ho."

"Dach chi'n awgrymu nad ydi fy enaid i, na 'nghyd-wybod i, na fy ewyllys na 'nheimladau i ddim yr un fath â rhai pawb arall?"

"Dwyt ti ddim wedi cael ... ddim wedi cael yr un profiada â hogia o dy oed di, naddo?"

"Dim pob profiad, naddo, ond mae 'na brofiada dw i wedi'u ca'l na chaiff neb arall nhw pe baen nhw byw i fod yn gant!"

"Dadl dy daid oedd fod rhaid cael arbenigwr ar ysbrydegaeth i ddatrys problem yr enaid a'r ewyllys, bod rhaid cael arbenigwr seico-analeiddio i ddatrys problem y cydwybod, a bod rhaid cael profiad helaeth o'r byd a'i bethau yn ei gyflawnder i ddatrys problem y teimladau."

"A doeddech chi ddim yn meddwl fy mod i'n ddigon da! Wel diolch yn blydi fawr!"

"Nid fel 'na o'dd hi! Duw annw'l callia, hogyn! Fe fasa mis ne' ddau mewn ..."

Oedodd, ac ailgychwynnodd,

"... ymhell o 'ma wedi bod yn llesol i ti. Ond ro'dd dy dad yn erbyn."

Bu'r bagliad yn ddigon i Wang-Ho. Mis neu ddau mewn beth? Ysbyty? Sanatoriwm?

"Be? Be ddeudsoch chi?"

"Doedd o ddim yn iach fod hogyn fel ti yn cysegru ei fywyd yn llwyr i'r hen gwt yna ... ma' petha fel 'na yn medru chwara ar feddwl rhywun."

"Roeddach chi'n meddwl 'mod i'n sâl fy meddwl?"

"Paid â siarad mor hurt!"

Yna fe wnaeth Wang-Ho rywbeth nas gwnaethai erioed o'r blaen. Doedd o erioed yn cofio'i hun yn cael geiriau croes hefo'i nain, ond yn ei wylltineb fe droes ar ei sawdl a martsio am y drws.

"Aros!"

"Dw i'n meddwl 'ych bod chi wedi gwneud petha'n ddigon eglur i mi!" Taflodd y geiriau ati dros ei ysgwydd.

"Aros!"

Ond nid arhosodd Wang-Ho ddim. Rhuthrodd o'r ystafell ac allan o'r tŷ. Roedd o eisiau dianc. Dianc i unrhyw le o'r twll lle yma.

Teimlai fel un wedi'i fradychu. Rhy anwadal ei feddwl

a dim digon aeddfed i weithio ar brosiect ei dad a'i daid aiê? Y fo, Wang-Ho, oedd wedi creu cannoedd o swyddi ac wedi ychwanegu miliynau os nad biliynau at werth y cwmni. Ei ymennydd o oedd wedi peri i'r cwmni lamu ymlaen yn ystod y deuddeng mlynedd diwethaf hyn.

Rŵan roedd o'n fwy penderfynol nag erioed o fwrw 'mlaen a chreu. Ond roedd rhaid iddo ymbwyllo. Meddyliodd eto am y problemau oedd wedi bod yn llesteirio ei dad a'i daid. Enaid, ewyllys, cydwybod a theimladau. Dyna pam yr oedd cymaint o wybodaeth am ysbrydegaeth yng nghrombil NESTA! Gweithio ar hynny roedd y ddau.

Beth arall oedd yn ei chof tybed? A ble'r oedd y ddau wedi cadw eu gwaith ymchwil?

Daliai i ferwi am yr hyn a ddywedasai ei nain wrtho. Ymbwyllo! Dyna'r gair y dychwelodd ato eto. Camu'n ôl oedd yn bwysig rŵan a pheidio â bod yn fyrbwyll. Oedd o mor wahanol â hynny i'w genhedlaeth? Doedd ganddo ddim cyfeillion na chyfoedion y byddai'n cyfeillachu â nhw. Ei nain, ei daid, ei dad, Ron a NESTA fuasai ei fyd cyfan. Tybed oedd yna rithyn o wirionedd yn yr hyn a ddywedasai Nain Cedora wrtho? Nac oedd! Meddyliodd am Parri a Gwenllïan. Oni ddaethai'n ffrindiau hefo nhw'n syth bìn? Ac eto aeth yna ias drwyddo pan sylweddolodd mai'r ddau yma oedd yr unig ddieithriaid iddo sgwrsio â nhw ers rhai blynyddoedd. Ond amheuaeth am ei stad feddyliol?

Caeodd ei lygaid yn dynn a chofiodd am ddynion y cotiau gwynion.

Pennod 4

YR UNIG LE yr oedd Wang-Ho wedi arfer dianc iddo oedd i fyd ei freuddwydion, ac fe gafodd ei demtio i wneud hynny rŵan.

Aeth i'w lofft a gorwedd ar ei wely. Edrychodd draw tuag at y drws gwyn a arweiniai i'r cwpwrdd mawr. Oedd o'n mynd yno? A fentrai wneud rhywbeth nas gwnaethai er pan yn blentyn? Yn sicr doedd o ddim wedi teimlo fel hyn ers ... ers faint? Ceisiodd gofio'n ôl. Pa bryd y bu yn y cwpwrdd, yn y *ffau* ddiwethaf? Deng mlynedd? Pymtheng mlynedd? Ugain mlynedd yn ôl?

Cododd ac aeth at ddrws ei ystafell a'i gloi. Gallai o leiaf edrych ar y ffau. Ond doedd o ddim wedi agor y drws ers ... ers y tro diwethaf hwnnw. Ac roedd o wedi addo iddo'i hun na fyddai byth yn gwneud hynny, oni bai, oni bai ... Rŵan oedd yr amser. Gallai fynd yno am awr yn unig. Dim ond awr.

Aeth i'r ystafell ymolchi, a chododd gaead dyfrgist y tŷ bach. Oedd, roedd y goriad yn dal yno, ond roedd o wedi rhydu. Yn betrusgar, estynnodd ei ddwylo i'r dŵr oer, a chofiodd fel yr arferai wneud hyn pan oedd blentyn. Ei gyfrinach o oedd y ffau, ac i fan'no y byddai'n dianc pan fyddai'r cysgodion duon yn llenwi'i ben. Yno, yn nhywyllwch y ffau, roedden nhw'n methu cael gafael arno. Yno roedd o'n cael llonydd ... nes y byddai Ron yn cael gorchymyn i chwilio amdano, ac y byddai hwnnw'n cnocio'n solat ar y drws. Cnocio deirgwaith, oedi ennyd, yno cnocio ddwywaith drachefn. Dyna'r arwydd i Wang-Ho ei bod hi'n bryd iddo adael y ffau.

Yn awr, diferai a chrynai ei law wrth iddo estyn y goriad rhydlyd at dwll clo drws y cwpwrdd. Pam petruso? Fyddai camu'n ôl i'r cwpwrdd yn dwyn yn ôl yr atgofion hynny? Y pethau yr oedd o wedi'u gwthio i gefn ei feddwl cyhyd? Na! Crafodd yr allwedd yn y clo, a chliciodd.

Yn araf agorodd y drws. Roedd yn union fel y'i cofiai cyn ei gloi yr haf poeth hwnnw mor bell yn ôl. Cwpwrdd chwe troedfedd wrth bedair. Ar lawr yr oedd hen sach, hen flanced, gwlân defaid, brigau sych grimp a hen glustog. Roedden nhw yno, yn union yn y lle y gadawodd o nhw. Roedden nhw yno yn gwahodd ...

Yn blentyn roedd wedi treulio oriau ac oriau yn gorwedd yn noethlymun ar wastad ei gefn yma yn meddwl ac yn dychmygu. Ac roedd o'n cofio byth am erwinder y gwlân a'r sach wrth i'r rheini grafu a chosi croen ei gefn. Hen deimlad annifyr, ond hen deimlad yr oedd o'n ei fwynhau. Dyna a gofiai o'r amser a dreuliodd yn y ffau. Y teimlad annifyr braf. Tan y bore hwnnw y cyrhaeddodd dynion y cotiau gwynion ...

Beth oedd o'n mynd i'w wneud? Cerddodd at y drych, a gofynnodd iddo'i hun, "Beth wna i? Mynd i'r ffau?" Gwelodd adlewyrchiad ohono'i hun yn nodio.

Diosgodd ei ddillad. A chamodd i'r cwpwrdd. Camu i'r ffau. Gorweddodd ar ei gefn. Roedd o'n dipyn mwy o gorffolaeth na phan y bu yma ddiwethaf!

Pan edrychodd ar y to, dechreuodd anadlu'n ddwfn ac yn gyflym. Roedd y llun yn dal yno. Llun amrwd mewn pensil ddu, drom. Erbyn hyn roedd corneli ucha'r nenfwd wedi eu gorchuddio â gwe pry cop. Anadlai'n drymach ac yn drymach. Gallai deimlo'r dagrau'n cronni ac fe ddaeth yr holl bethau annifyr yna'n ôl i'w gof. Y llun yna oedd y rheswm am iddo greu ei ffau yn y lle cyntaf. Dechreuodd grio a chofio.

Cofio'r diwrnod hwnnw pan ofynnodd i'w dad pwy oedd ei fam, ac ym mhle'r oedd hi. Ac ar lin ei nain yn wyth neu'n naw oed y clywodd hanes ei adael ar stepan drws yr Henblas. Tua'r un amser y clywodd hanes rhyfeddol Romulus a Remus yn cael eu magu gan fleiddiaid, a chydymdeimlai cymaint â'r efeilliaid hynny fel yr adeiladodd ffau iddo'i hun a, chan sefyll ar ei gadair, gwneud darlun o flaidd ar do ei gwpwrdd. Hon fyddai ei ffau fach o. Allor dragwyddol i bob Romulus a Remus yn y byd. Yma, fe fyddai'n cymryd arno fyw bywyd cyfochrog â Romulus a Remus. Gallai uniaethu â nhw. Plentyn amddifad yn ymgodymu ag unigrwydd tra oedd yn derbyn y fagwraeth arall a roddwyd iddo. Magwraeth fabwysiedig.

Pan giliodd y dagrau, a phan bylodd y cof pellennig, daeth Wang-Ho yn ôl yn araf i'r presennol. Y drafferth oedd fod llond ei feddwl o bethau ar wahân i broblemau technegol y prosiect yr oedd yn gweithio arno, a doedd o ddim wedi arfer hefo hynny. Gwyddai, fodd bynnag, y byddai'n rhaid iddo wneud rhywbeth i gael gwared â'r rheini, ac yn union fel y byddai'n gwneud hefo'i waith beunyddiol, fe wnaeth restr o'i broblemau.

Yn gyntaf, ac yn bennaf, roedd datgeliadau ei nain. Rheini oedd yn mynnu'r lle blaenaf yn ei feddwl.

Yn ail, roedd yr ysbrydion a'r gweledigaethau a'r llais a glywsai ar y ffordd adref o'r Groat.

Yn drydydd roedd y cwt, ac yn bedwerydd y modd yr oedd NESTA yn bihafio. Ddylai o ychwanegu Gwenllïan fel y pumed? O leiaf roedd ei hwyneb a'i gwên wedi ymrithio o'i flaen gryn dipyn, ac roedd o wedi bod yn meddwl llawer amdani yn ystod y diwrnod. A gwenu wnaeth o wrth gofio ei fod o hyd yn oed wedi dychmygu'r ddau ohonyn nhw'n gwneud pob math o bethau hefo'i gilydd.

Ymhle roedd o'n mynd i ddechrau? Dechrau gyda rhywbeth hawdd oedd orau. Y cwt. Roedd hynny i raddau helaeth allan o'i ddwylo fo. Gallai daeru hefo'r cyngor sir ei fod yn bwriadu trwsio neu adnewyddu'r cwt fel na fyddai'n adeilad hagr a hen. Wedi hynny byddai unrhyw benderfyniad yn cael ei wneud ar sail gweithredoedd y cyngor sir, ac fe fyddai ei nain a John Preis yn gydgyfrifol hefo fo am unrhyw benderfyniad.

Wedyn roedd NESTA. Doedd o ddim yn poeni'n ormodol amdani, ond roedd y ffaith iddi ei herio, neu efallai y ffaith fod y gallu ganddi i'w herio, wedi aros yng nghefn ei feddwl.

Mater gwahanol oedd yr ysbrydion. Nid eu bod wedi ei ddychryn, yn wir roedden nhw'n fwy o destun chwilfrydedd na dim arall. Unwaith yr oedd o wedi deall a derbyn yr eglurhad am y byd etheraidd, roedd yna rywbeth reit bleserus ynglŷn â'r ffaith y gallai fod wedi bod yn siarad hefo'i daid a'i dad oedd wedi marw. Yn sicr roedd o'n chwilfrydig iawn fod Parri yn seicig, ac roedd wedi ei daro y byddai'n sialens a hanner iddo geisio creu peiriant seicig.

Yna roedd Gwenllïan. "Gwenllïan" Dywedodd yr enw'n uchel wrtho'i hun. Âi, fe âi i'r Groat eto, y cyfle cyntaf a gâi! Heno, efallai. Byddai'n gyfle arall i ddianc a gadael i'w nain stiwio am yr hyn a ddywedodd.

A daeth hynny ag ef yn ôl at yr hyn a ddywedasai ei nain wrtho. Doedd o ddim eisiau meddwl am hynny. Cyrliodd ei hun yn belen yn y ffau. Rhoddodd ei ddwylo dan ei geseiliau a thynnodd ei benliniau'n uchel at ei ên. Âi i gysgu am ychydig. Cysgu, a breuddwydio am Gwenllïan …

Ron a'i deffroes gyda chnocio trwm a chyson ar ddrws ei ystafell wely. Gwaeddodd wrth geisio neidio i'w ddillad.

"Be sy?"

O'r tu draw i'r drws daeth llais pryderus Ron.

"Dach chi'n iawn?"

"Yndw. Syrthio i gysgu wnes i."

"Mae Parri lawr grisia. Isho gair hefo chi."

"Fydda i lawr rŵan."

Pan glywodd sŵn traed Ron yn ymbellhau, rhoddodd

ochenaid o ryddhad.

Yn frysiog, caeodd ddrws y cwpwrdd, ei gloi a dychwelyd y goriad i ddyfrgist y tŷ bach. Taflodd ddŵr dros ei wyneb, ac aeth i lawr y grisiau. Wrth basio'r cloc mawr, fe sylweddolodd ei fod wedi cysgu am ymron i deirawr. Roedd Parri'n sefyll yn y cyntedd.

"Parri! Tyrd drwodd."

Aeth y ddau i'r llyfrgell.

"Wnawn ni ddim styrbio Nain Cedora yn fa'ma."

"Dw i'n gwbod 'i bod hi'n hwyr brynhawn, ond mi fuo rhaid i mi ddod."

"Be sy matar?"

Gollyngodd Parri ei hun i'w gadair a chymerodd anadl ddofn.

"Yr ysbrydion yn y cwt."

"Be amdanyn nhw?"

"Y nhw 'na'th i mi ddŵad 'nôl."

"Be?"

"Mae o'n beth anodd ei ddisgrifio ..."

"Tria."

"Pan fydda i'n teimlo presenoldeb am y tro cynta, dw i'n dueddol o jyst rhedag, fel y gwnes i ddoe. Ond wedyn ma' petha'n dechra effeithio arna i. Dw i'n dechra newid. Mynd i deimlo'n flinedig, yn flin hefo pobol, a dyna pryd dw i'n dechra clywad lleisia."

"Lleisia pwy?"

"Yr ysbryd neu'r ysbrydion. Mae'n dechra hefo gair neu ddau, wedyn brawddeg. Y rhan fwya o'r amser dydyn nhw'n gneud dim sens, dim ond pan fydda i'n canol-bwyntio'n llwyr."

"Be w't ti wedi 'glywed gan yr ysbrydion yma?"

"Fel o'n i'n deud, 'di o 'm yn gneud sens, dyna pam y bydd hi'n rhaid i mi fynd i eistedd yn y cwt am ryw awr, gan obeithio y dôn' nhw ata i. Cha i ddim llonydd os na wna i hynny."

Agorodd y drws. Edrychodd Parri y tu hwnt i Wang-Ho, a gwelodd Cedora'n llywio'i chadair i'r ystafell. Cododd Parri ar ei draed. Gwenodd ar Cedora.

"Sut dach chi?"

"Pw' 'di hwn?" holodd Cedora'n sarrug, gan edrych ar Wang-Ho.

Parri atebodd.

"Hogyn Meri Siop Tjips."

"Teulu Jasper y Witsh!"

Gan ei bod yn amlwg fod tempar go fain ar Cedora, ceisiodd Wang-Ho ymyrryd.

"Fe fuodd Parri yma'n mesur y cwt ac yn edrych be sy angen ei wneud i'w drwsio fo."

"Ond nid dyna pam mae o yma rŵan."

"Naci …" atebodd Wang-Ho'n gloff.

"Mae 'na olwg dyn gwyllt yn 'i lygaid o. Fel oedd yn llygaid ei daid."

Teimlai Parri ei bod yn bryd iddo yntau ddweud rhywbeth.

"Oeddech chi'n nabod Taid?"

"Cyn i mi 'rioed gyfarfod â Wing-Ha, oeddwn, a chyn i ti feddwl hynny, doeddwn i ddim yn ei nabod o yn yr ystyr feiblaidd!"

Roedd min ar y llais, ac fe drawodd Parri a Wang-Ho mai gwell fyddai troi'r stori. Cyfarfu eu llygaid. Y ddau yn ceisio cymorth gan ei gilydd i ddweud rhywbeth.

"Pam wyt ti yma 'ta?"

Ni welai Wang-Ho unrhyw reswm dros gelu'r gwirionedd.

"Fe deimlodd Parri bresenoldeb yn y cwt. Mae o isho mynd yn ôl yno."

"Ysbryd wyt ti'n 'feddwl?"

"Ia."

"Mae'r tŷ 'ma'n llawn ohonyn nhw! Pob ystafell! Be arall wyt ti'n 'ddisgw'l hefo'r hanas sydd iddo fo."

Am eiliad fe groesodd feddwl Wang-Ho fod ei nain yn seicig hefyd. O leiaf roedd hi'n llefaru megis un ag awdurdod. Ychwanegodd ei bwt ei hun at y sgwrs.

"Dw inna wedi teimlo rhywbath yn y cwt hefyd. Rhyw ias oer wrth y drws. Bob tro y bydda i'n camu iddo fo."

"Coel gwrachod! Paid ti â dechra cyboli hefo petha fel 'na, Wang-Ho, fe ddinistrith o chdi."

"Nain!"

"Dalia di ar fy ngeiria i!"

Troes Cedora at Wang-Ho a'i llygaid yn fflachio, yna troes yn ei hôl at Parri.

"Mae croeso i ti ddod yma i drwsio'r cwt, ond dwyt ti ddim i gyboli hefo petha nad wyt ti'n eu dallt!"

"Yr unig beth dw i'n 'i wbod ydi, na cha i ddim llonydd nes y bydda i wedi bod yn ôl yn y cwt, ac wedi trio rhyddhau'r ysbrydion."

"Eu rhyddhau nhw? Be w't ti'n 'feddwl eu rhyddhau nhw?"

"Mae'n anodd 'sbonio i rywun nad ydi o'n dallt."

"Tria fi."

"Weithia, pan fydd pobol yn marw'n sydyn, maen nhw'n gwrthod symud o'r byd yma i'r byd nesa. Mae 'na ryw ran ohonyn nhw'n mynnu glynu at y bywyd oedd ganddyn nhw ar y ddaear."

"Ac mi rwyt ti'n un fedar helpu?"

"Weithia, yndw."

"Gin dy daid y cest ti'r ... 'peth' 'ma?"

"Dw i ddim yn gwbod."

"Ddaw dim daioni ohono fo, dalia di ar fy ngeiria i!"

Daliai Wang-Ho'n flin hefo'i nain am yr hyn a ddywedasai ynghynt, ac felly fe benderfynodd gymryd yr awenau i'w ddwylo'i hun.

"Mae Parri a finna'n mynd draw i'r cwt, Nain, mi ddo i nôl yn 'munud, i siarad hefo chi!"

Roedd Wang-Ho a Parri wedi mynd y tu hwnt i glyw,

neu fe fydden nhw wedi clywed brawddeg ola'r hen wraig.

"Wyddoch chi ddim be dach chi'n cyboli hefo fo."

* * *

Ar ei ffordd i'r cwt ceisiodd Wang-Ho esgusodi'i nain.

" 'Sna'm isho i chdi! Dw i'n cofio Taid Jasper yn union 'run fath. Deud y gwir, roedd y ddau yr un teip. Deud yn blaen be oedd ar eu meddylia nhw. Llawar gwell weithia 'sti! O leia ti'n gwbod yn union ble ti'n sefyll hefo pobol felly."

Bu Wang-Ho'n dawel am ennyd. Efallai fod Parri yn iawn, ac iddo fod fymryn yn fyrbwyll. Wedi treulio amser yn meddwl ymhellach am y cyfan, efallai ...

"Gad i mi agor y clo 'na. Mi fydda i wastad yn cloi 'sti. Hyd 'n oed os na fydda i o 'ma ond am bum munud."

Aeth y ddau i'r cwt. Y munud y camodd drwy'r drws, fferrodd Parri a sibrydodd yn floesg:

"Brysia! Gafael yn fy llaw i!"

Gafaelodd Wang-Ho yn betrus yn ei law. Gwelwodd Wang-Ho pan ddechreuodd pen Parri grynu. Caeodd hwnnw ei lygaid a gwasgodd law Wang-Ho'n dynn. Ceisiodd Wang-Ho ymryddhau ond ni fedrai.

Dechreuodd Parri siarad, ond nid ei lais ef ei hun a ddaeth o'i enau ond llais Wing-Ha.

"Wang-Ho?"

Safai Wang-Ho'n syfrdan stond.

"Wang-Ho, wyt ti yna?" ebe'r llais drachefn.

Atebodd Wang-Ho mewn llais bach.

"Yndw."

"Fedra i ddim gadael y byd hwn heb siarad hefo ti, Wang-Ho."

Sylweddolodd Wang-Ho mai llais ei daid a glywai.

"Siarad am beth, Wing-Ha?"

"Siarad amdanat ti."

"Y fi?"

"Dy fywyd di. Cyfeiriad dy fywyd di. Beth oedd Weng-Hi a minnau yn bwriadu ei wneud flwyddyn y ddamwain."

"A beth oedd hynny?"

"Rhoi profiad o fywyd i ti, cyn gweithio ar ein prosiect mawr."

"Profiad o fywyd?"

"Chest ti ddim magwraeth fel pawb arall, Wang-Ho. Ar un wedd, roedd hi'n fagwraeth freintiedig iawn. Ond roedd dy dad a finna, a dy nain hefyd, wedi sylwi fod yna salwch yn cyniwair yn dy enaid di."

"Be dach chi'n 'feddwl?"

"Ga i ddweud stori wrthyt ti? Pan oeddwn i'n blentyn bychan yn Hong Kong mi ges i fy nharo'n wael. Doedd neb yn siŵr beth oedd yn bod arna i. Fe alwyd meddygon di-rif ond fedrai neb ffeindio achos fy anhwylder i. Fe alwodd Heng-Go, fy hen-daid i 'ngweld i, ac wedi syllu yn ddwfn i'm llygaid, fe ddywedodd o wrth fy rhieni am fy rhoi i eistedd allan yn yr awyr agored yn wynebu mynyddoedd Hing-Chu. "Yn y mynyddoedd mae'r allwedd i'w salwch a'i wellhad," medda fo wrth fy nhad a'm mam.

Mi ges fy ngadael allan, yn wynebu'r mynyddoedd am dridiau, ac ar derfyn y trydydd dydd roeddwn i'n holliach.

O'r dydd hwnnw hyd ei farwolaeth mae pob darlun sydd gen i yn fy nghof o Heng-Go yn ddarlun ohono'n siarad am y mynyddoedd a'u rhin. Roedd o'n argyhoeddedig fod mynyddoedd yn bethau byw. Wrth eu crwydro nhw y caet ti hyd i gwm y cymoedd. Ar eu llethrau y caet ti winllan y gwinllannoedd. Nhw oedd dy gwlwm di â'r gorffennol. Roedden nhw'n fodau oedd yn symud, yn anadlu, yn ochneidio, yn bwrw'u llid a'u digofaint, yn cymell a hyd yn oed yn siarad gyda phobol. Nhw sydd yn rhoi dyfnder yn dy enaid di. Ac erbyn hyn rydw innau wedi dod i gredu hynny hefyd."

"Beth wyt ti'n ceisio'i ddweud wrtha i, Wing-Ha?"

"Rwyt ti wedi cau dy hun yn y cwt sinc yn rhy hir, Wang-Ho."

"Ai dyna'r rheswm ...?"

Oedodd Wang-Ho cyn gorffen ei frawddeg. Beth petai Parri'n clywed?

"Dos i olwg y mynyddoedd."

"Ac fe fydd ... popeth yn diflannu?"

"Fedra i ddim ateb hynny, ond er mai pump oed oeddwn i pan ddaru Heng-Go gymell fy rhieni i'm rhoi â'm hwyneb tua'r mynyddoedd, rydw i'n argyhoeddedig erbyn heddiw mai y tu mewn yr oeddwn i'n sâl. Dos i olwg y mynyddoedd, Wang-Ho."

"Mynyddoedd Hing-Chu?"

"Mynydd ydi mynydd ble bynnag yr wyt ti. Paid ti byth â diystyru grymoedd natur Wang-Ho. O'r grymoedd hynny y daeth popeth sydd gen ti o dy gwmpas. Yr un ydi natur, os wyt ti yng Nghymru neu yn Hong Kong. Dos i olwg y mynyddoedd, Wang-Ho. Dos yn syth!"

"Ond mae gen i waith i'w wneud!"

"Dos heddiw, Wang-Ho – a phaid â dweud dim am hyn wrth NESTA."

"Pam?"

"Mae NESTA'n rheoli gormod ar dy fywyd di. Roedd hi'n rheoli gormod ar ein bywydau ni i gyd."

"Dim ond compiwtar ydi hi!"

"Grymoedd natur a'i creodd hithau, paid ti byth â diystyru grymoedd natur. A bydd yn ofalus o'i gallu hi. Fe roddodd Weng-Hi y gallu i ymresymu yn ei chof hi cyn iddo farw."

"NESTA yn ymresymu?"

"Bydd ofalus hefo hi, Wang-Ho."

"Beth wyt ti'n ceisio'i ddweud wrtha i, Wing-Ha?"

"Fe ddoi di i ddeall."

"Ar beth roeddech chi'n gweithio cyn marw?"

"Fe ddywed Weng-Hi hynny wrthyt ti."

"Pam na fedri di?"

"Mae fy amser i wedi dod, Wang-Ho. Mae'r hen gadwyn oedd yn fy nghadw i yma wedi'i thorri. Mae'r pwysau oedd ar fy 'sgwyddau i wedi 'sgafnu. Rydw i wedi cael fy rhyddhau. Mi fedra i groesi rŵan i'r golau. Cofia fy ngeiriau, Wang-Ho. Rŵan, mae fy amser i wedi dod ..."

"Paid â mynd, Wing-Ha!"

"Golau! Mae o'n symud at y golau!"

Sylweddolodd Wang-Ho mai Parri oedd yn siarad, ond roedd ei lais yn floesg.

"Mae 'na rywun yn cerdded tuag ato fo. Mae o'n troi ac yn gwenu. Mae o'n codi'i law. Mae rhywun yn estyn breichiau ato fo. Mae o'n camu i'r golau. Mae o wedi mynd!"

Am rai eiliadau bu Wang-Ho'n sefyll yno'n synfyfyrio. Edrychodd ar wyneb Parri. Roedd perlau o chwys yn byrlymu oddi ar ei dalcen, ac roedd o cyn wynned â'r galchen.

"Ti'n iawn, Parri?"

"Yndw. Mae o wedi mynd. Mae o wedi croesi."

Rhoddodd Parri ochenaid o ryddhad. Cododd ei ddwylo a chladdu'i ben ynddynt.

"Diod. Rhywbath poeth. 'Sgen ti ddiod boeth?"

"Te ne' goffi ti'n 'feddwl?"

"Ia. Te wnaiff yn iawn."

Croesodd Wang-Ho at y peiriant diodydd. Gwasgodd y botwm te, a llanwodd gwpan cyn ei chario'n ôl at Parri. Llowciodd hwnnw'r te yn awchus cyn eistedd yn ôl.

"Peint fasa'n dda!"

"Awn ni draw i'r Groat ar ôl i ti ddod atat dy hun."

"Be ddigwyddodd?"

"Dwyt ti ddim yn cofio?"

"Dim. 'Mond yr ysbryd yn dod ata i, ac yn gwneud i mi afael yn dy law di. Fe aeth popeth yn ddu wedyn, nes i mi weld y golau yn dynesu. Wedyn fe gamodd i'r golau. Ac fe aeth o'i wirfodd. Fe gafodd ei ryddhau."

Doedd Parri ddim wedi deall dim o'r hyn a ddigwydd-odd felly. Cyfrwng yn unig i Wing-Ha siarad â Wang-Ho oedd o. Cyfrwng i ysbryd cythryblus ymryddhau a chroesi i'r byd y tu hwnt.

Cododd Parri ar ei draed.

"Dyna well. Fuodd o'n siarad hefo chdi?"

"Do."

"Pwy oedd o?"

"Wing-Ha."

"Dy daid?"

"Ia."

"Iesu! Be oedd o isho?"

"Isho deud rhai petha cyn mynd."

Ac ni welai Wang-Ho unrhyw reswm dilys dros egluro mwy wrth Parri.

"Mi gysga i'n dawelach heno!"

"Hefo galwyn o feild yn dy stumog! Gwnei!"

"Ti'n dod am beint 'ta?"

"Mi ddo i'n y munud; well i mi gael gair hefo Nain cyn dod."

* * *

Aeth Parri ar ei union i'r Groat. Newydd agor y drws yr oedd Gwenllïan a fo oedd cwsmer cynta'r noson.

"Estyn ddau beint i mi, blodyn!"

Estynnodd Gwenllïan ddau wydr glân a dechrau tynnu'r cwrw i un ohonyn nhw.

"Sychedig?"

"Newydd ddod o Glanllifon dw i."

Gosododd y peint ger ei fron. Llyncodd Parri'n awchus. Diflannodd hanner y peint.

"Be w't ti 'di bod yn 'neud i godi'r fath sychad?"

Tynnodd Parri bawen ddu ar hyd ei wefl.

"Lle rhyfadd. Pobol ryfadd!"

"Pwy, Wang-Ho?"

"A'i nain, a'i daid!"

"Hanner cant, plis."

Aeth Parri i'w boced i estyn pres.

"'T'isho rhywbath?"

"Rhy gynnar. Ga i roid un mewn at 'munud?"

"Cei 'tad."

"Saith deg 'lly, plis."

Rhoddodd Gwenllïan y pres yn y til. Gobeithiai na ddeuai neb i mewn am sbelan. Roedd hwn yn gyfle rhy dda i'w golli i holi Parri.

"Ydi o'n wir be maen nhw'n 'ddeud am yr Henblas?"

"Be?"

"Drewi o betha drud?"

"Am y gweli di. Antîcs, yn glocia a dodrafn. Llunia ar y walia, carpedi ar lawr. 'Im byd ond y gora."

"Fe fydd rhywun yn lwcus rh'w dd'wrnod 'lly."

"Be ti'n 'feddwl?"

"Pw' bynnag fachith Wang-Ho!"

"Mae o'n werth ei filiyna! Biliyna ella!"

"Finna'n slafio'n fa'ma am ddwy fil yr wsnos."

"Ti'n ffansio dy jansys?"

"Tjans wd bî ê ffein thing!"

" 'Dyn nhw ddim run fath â ni 'sti!"

"Be ti'n 'feddwl?"

"Gwaed fforenars."

"Parri!"

" 'Sach chdi 'mond yn gwbod be ddigwyddodd hiddiw. Ro'n i 'di dychryn i ffitia!"

"Deud ta."

Am un eiliad fe groesodd feddwl Parri i gau ei geg. Fyddai o byth yn siarad am betha fel hyn hefo neb y tu allan i'w deulu. Roedd o'n ymwybodol o'r enw drwg oedd i'w fam ac iddo yntau'n lleol oherwydd eu hymwneud â'r arallfydol. Ond roedd heddiw wedi bod yn wahanol, a rhwng codi'i beint a llyncu'r gweddill, fe benderfynodd y byddai'n dweud wrth Gwenllïan.

"Wnei di'm deud wrth neb?"

"Crus croes tân poeth."

Cododd Parri ei ail beint a chymryd dracht hir o hwnnw hefyd cyn dechrau siarad.

"Ti'n cofio i mi ddeud wrthat ti 'mod i wedi bod yno'n mesur y cwt? Wel, mi wyddwn i fod yna ysbrydion yn y cwt y munud y rhois i 'nhroed dros y rhiniog. Mi es i'n ôl yno hiddiw – newydd fod yno dw i rŵan – ac mi godais i ysbryd yr hen daid, ac fe fuo'n siarad hefo Wang-Ho."

"Arclwydd! Be ddeudodd o?"

"Nesh i ddim dallt pob gair, ond roedd o'n deud wrth Wang-Ho am fynd i fyny i'r mynyddoedd.

"I be, 'lly?"

"God nôs. Ro'dd y cwbwl yn od, rhyfadd ac yn codi dychryn."

"Mynyddoedd?!"

"Rh'wla yn Hong Kong."

"Arclwydd! 'Di o'n mynd yn ôl i fan'no?"

Ysgydwodd Parri ei ben.

"Dwn i'm be ddiawl 'neith o, ond dw i ddim yn edrach ymlaen at fynd yn ôl yno. Mae'i dad o'n dal i hofran o gwmpas!"

Bu Gwenllïan yn dawel am funud, a chredai Parri iddo'i dychryn. Dechreuodd meddwl Parri fynd ar garlam. Onid oedd Wang-Ho yn gwsmer yma rŵan? Beth petai Gwenllïan yn dweud rhywbeth?

"Wnei di ddim deud wrth neb?"

"Na wna i siŵr!"

Ond roedd ei meddwl hithau'n rasio hefyd. Pryd tybed y deuai Wang-Ho draw nesaf? Fel pe bai o'n darllen ei meddwl dywedodd Parri:

"Fe fydd o yma toc."

"Pwy?"

"Wang-Ho. Fe ddeudodd wrtha i y basa fo draw ymhen rhyw awr neu ddwy, ond mi fydda i wedi mynd. Dw i wedi ca'l digon ar deulu'r Henblas am un diwrnod!"

"Pw' 'sa'n meddwl yntê?"

"Be ti'n 'neud fory?"

"Gweithio 'ndê?"

Roedd llygaid Parri yn pefrio.

"Meddwl fod gen ti awr ne' ddwy i'w sbario!"

* * *

Roedd hi'n tynnu at ddeg o'r gloch pan gyrhaeddodd Wang-Ho y sŵn a'r mwg a lenwai'r Groat.

Am ddwy awr wedi ymweliad Parri bu'n gorwedd ar ei wely yn meddwl am yr hyn a ddigwyddodd. Rhag ofn iddo anghofio, bu'n ysgrifennu'r cyfan, yn union fel y'i cofiai, yn ei ddyddiadur. Ac yna bu'n meddwl.

Doedd dim dwy waith nad oedd o wedi dychryn. Pe na bai Parri wedi llefaru'n union fel ei daid, byddai wedi tueddu i gymryd y cyfan yn ysgafn, ond doedd ganddo ddim amheuaeth o gwbl nad llais Wing-Ha a glywsai. Ac roedd ei eiriau wedi peri anesmwythyd iddo. Yn gyntaf, roedd Wing-Ha yn daer ar iddo fynd i olwg y mynyddoedd; yn ail roedd o wedi awgrymu nad oedd o i drystio NESTA, ac yn drydydd roedd wedi dweud fod Weng-Hi hefyd yn bwriadu dweud rhywbeth wrtho.

Pam mynd i olwg y mynyddoedd? Oedd a wnelo hyn rywbeth ag agwedd Nain Cedora tuag ato? Ei hawgrym hi nad oedd o wedi cael profiadau fel pawb arall? A beth oedd pwrpas adrodd y stori amdano'i hun yn blentyn? Oedd o, Wang-Ho, i fod i ddod i lawr o'r mynyddoedd yn ddyn newydd?

Roedd ei eiriau am NESTA yn clymu'n daclus â'i styfnigrwydd hi wrth iddo'i holi am NESTA fach symudol.

Ond fe ddywedodd ymhellach fod Weng-Hi wedi rhoi'r gallu i ymresymu yng nghof NESTA. A phan holodd Wang-Ho am yr hyn yr oedd ei dad a'i daid yn gweithio arno cyn marw, fe ddywedodd Wing-Ha mai Weng-Hi a fyddai'n dweud hynny wrtho.

Yn fwy na'r ddau beth arall, hwn a flinai fwyaf ar Wang-Ho. Eisoes dywedasai Parri wrtho fod yna ddau ysbryd wedi'u caethiwo yn y cwt. Roedd hi'n sefyll i reswm felly, os mai Wing-Ha oedd y naill, mai Weng-Hi oedd y llall. Golygai hynny y byddai'n rhaid i Parri ddod draw eto cyn i Weng-Hi siarad ag ef.

Gan ei fod yn weddol siŵr erbyn hyn mai ei dad a'i daid oedd y ddau ysbryd, doedd fawr o bwrpas iddo holi'i nain ymhellach am Thomas Evan Hughes, na dilyn trywydd y lleill a fu farw ar dir yr Henblas.

Bu'n troi a throsi yn ei feddwl hefyd a ddylai ddweud wrth Nain Cedora am hyn. Penderfynodd beidio. Yn hytrach, penderfynodd fynd yn ôl i'r cwt i weithio am ryw deirawr cyn sleifio allan i'r Groat, yn y gobaith y byddai Parri yno, ac y câi sgwrs bellach ag ef.

Roedd hi'n noson fawr yn y Groat. Wyddai Wang-Ho ddim fod yna gymaint o bobol ifanc yn byw yn y cyffiniau. Gwenllïan oedd y tu ôl i'r bar, a chafodd wên ganddi pan gyfarfyddodd eu llygaid. Edrychodd o'i amgylch cyn gwthio'i ffordd at y bar, a phan welodd fwlch, camodd iddo. Pan wthiodd Gwenllïan ei hwyneb ato gwaeddodd ei gwestiwn.

"Parri yma?"

"Fe a'th o adra ryw awr yn ôl. Wedi blino."

"Strongbô plis."

"Heb ddysgu dy wers 'lly?"

"Y?"

"Cysgu'n hwyr tro dweutha!"

"Parri ddeudodd wrthach chi?"

Cododd fys yn chwareus at ei thrwyn a'i daro

ddwywaith. Roedd gwên fechan ar ei hwyneb wrth iddi dynnu'r peint, ei gario'n ofalus, a'i osod gerbron Wang-Ho.

"Criw mawr 'ma heno?"

"Ffermwyr Ifanc o Glwyd. Ar eu ffordd i Rali Caerheli."

Edrychodd Wang-Ho o'i gwmpas unwaith eto. Wynebau anghyfarwydd i gyd. Pob wyneb yn ifanc a phob wyneb yn llawen. Syllodd am ennyd ar ei gymdogion agosaf. Pâr yn eu harddegau hwyr. Y fo hefo mop o wallt du, cyrliog, hithau a'i gwallt melyn wedi ei gneifio'n ofalus agos i'w chorun. Er fod y ddau yn eistedd ar stolion a'u penelinoedd yn pwyso ar y bar, roedd eu hwynebau'n dynn yn ei gilydd a'r naill yn gorfod siarad yn uchel i'r llall glywed. Yn ddiarwybod iddo'i hun troes Wang-Ho yn ei ôl i wynebu Gwenllïan a cheisio ar un pryd wrando ar y sgwrs yn ei ymyl.

"Rŵan?"

"Ia! Gorffan hwnna."

"Yn lle?"

"Y tu ôl i'r gwrych!"

"Be am drio'n fa'ma?"

"O flaen pawb?"

"Yn slei bach!"

Tra oedd yn gwrando ar eu sgwrs roedd Wang-Ho hefyd yn ddiarwybod iddo'i hun wedi dechrau syllu ar Gwenllïan. Roedd honno'n brysur ryfeddol yn tynnu peintiau ac yn estyn diodydd. Diferai dafnau o chwys ar ei thalcen, ac roedd ei harleisiau yn afonydd bychain. Yn awr ac yn y man codai ei llaw i sychu'r chwys. Rhaid ei bod wedi sylwi arno'n edrych arni. Gwenodd arno, ac edrychodd yn awgrymog tuag at y cwpwl oedd yn ei ymyl a nodio'i phen. Oedd hithau'n gwrando arnyn nhw?

"A'n ni i ista i'r gornal!"

"Paid â thynnu dy gôt 'ta!"

"Ga'n ni ddiod arall cyn mynd! Fyddwn ni 'i hangan hi ar ôl gorffan!"

Cododd y llanc ei wydr a llyncu gweddill ei gynnwys. Daliodd y gwydr gwag o'i flaen nes dal llygad Gwenllïan. Daeth hithau ato.

"Peint o strongbô a Sambucca plis?"

"Mi dala i!"

Edrychodd y llanc a Gwenllïan ar Wang-Ho.

"Be?"

"Mi dala i am eich diod chi."

"'Esu!" a chan droi at y ferch dywedodd "Hei, Shirl, mae'r dyn yma'n talu am ein diodydd ni!"

"Dio'ch!"

"Sorri'n bod ni'n 'ych gada'l chi, ond 'dan ni am chwilio am le mwy cyffyrddus i ista."

"Iawn."

Ac wedi casglu'u diodydd ciliodd y ddau i gornel eithaf yr ystafell.

Gwenodd Gwenllïan a Wang-Ho ar ei gilydd. Pwysodd Wang-Ho ymlaen a gofyn iddi:

"Be sy yn y Sambucca 'ma 'dwch?"

"Tân!" oedd yr ateb a gafodd.

Setlodd Wang-Ho yn ôl ar ei sedd, ac ymhen ychydig funudau clywodd floeddiadau o gymeradwyaeth yn dod o'r gornel. Ymgasglodd pawb i'r gornel a dechrau siantio:

"... pedwar ... pump ... chwech ..."

Roedd yn amlwg fod y ddau wedi dechrau perfformio. Doedd dim modd i Wang-Ho weld dim drwy'r goedwig o gyrff a theimlai'n rhy swil i wthio drwyddynt. Ond fe welodd y cyfan drwy lygaid ei ddychymyg.

Teimlai'n gynhyrfus. Dychmygai'r ddau gorff yn gwthio'n erbyn ei gilydd. Y fo'n eistedd ar y sedd a hithau'n ei farchogaeth. Gwefus yn llarpio gwefus, a'i bysedd main hi yn cydio mewn cyrls duon, a'i ddwy law yntau yn cwpanu'i hwyneb ac yn anwesu'r byrwallt melyn. Dychmygai'r gôt yn cuddio popeth ond y nwyd; byddai bloeddiadau'r dorf yn rhoi cynnwrf ychwanegol i'r ddau.

Doedd o, Wang-Ho, erioed wedi cael profiad fel hwn o'r blaen. Roedd o wedi darllen, ac wedi cynhyrfu wrth weld ffilmiau a fideos, ond doedd o erioed wedi bod mor agos, ac eto mor bell, oddi wrth ddau yn boncio. Teimlai'n boeth, yn galed ac yn wlyb. Ac er ei fod yn ceisio llyncu'i beint mor ddi-feind ag y medrai, roedd Gwenllïan fel petai'n edrych yn syth arno drwy'r amser. Teimlai'r gwrid yn codi i'w wyneb.

Pan glywodd yr "Ieeeeeees!" uchafbwyntiol gan y dorf, a'r gymeradwyaeth fyddarol a'i dilynodd, rhoddodd ochenaid o ryddhad ac yfodd weddill ei beint ar ei dalcen. Daliai Gwenllïan i edrych arno.

"Strongbô, plis!"

Estynnodd y ddiod iddo.

"On ddy hyws!"

"Be?"

Daeth ei hwyneb tlws yn nes.

"Presant gin i!"

Cododd ei wydr fel arwydd o ddiolch.

"Iechyd da!"

Am un chwarter awr da, bu'n gyfnod gwyllt gwallgof yn y Groat. Clywyd chwibaniad uchel a chyhoeddiad fod y bws wedi cyrraedd. Roedd o'n cychwyn mewn chwarter awr. Llanwyd a gwagiwyd gwydrau, ac yn araf gwagiodd y Groat.

Erbyn chwarter i un ar ddeg, dim ond Gwenllïan a Wang-Ho a mynydd o wydrau gweigion oedd ar ôl.

"Ga i'ch helpu chi i gario'r gwydra 'ma i'r cefn?"

"Cei os wnei di un peth."

"Be?"

"Galwa fi'n *ti*. Ti'n gneud i mi deimlo fel hen gant!"

"W't *ti* isho help?"

"Oes!"

Cariodd Wang-Ho lond ei hafflau o wydrau i'r cefn. Saith siwrnai y bu'n rhaid iddo'u gwneud tra bu Gwenllïan yn llwytho'r peiriant golchi. Wedi gorffen cario aeth i eistedd ar ei stôl ger y bar a syllu ar y gornel lle bu'r ddau ifanc yn ymblesera. Ai dyma'r hyn oedd ym meddwl ei nain pan ddywedodd fod yn rhaid iddo gael profiad o fywyd? Ceisiodd ddychmygu'i hun yn boncio'n gyhoeddus yn y gornel. Hefo pwy? Gwenllïan? Ni fedrai. Ac eto, pam lai? Beth oedd mor arswydus yn hynny?

Faint o wahaniaeth oed oedd rhyngddo a'r criw oedd newid adael – deng mlynedd? Ac eto, roedd o'n coleddu rhyw hen syniadau oedd yn ganrif oed a mwy. Pam nad etifeddodd o'r hyder a'r afiaith a roddwyd i'r criw yna? Am iddo gael magwrfa freintiedig? Magwrfa wahanol? Oedd hi'n rhy hwyr iddo newid hynny?

"Mi fydda i'n cau mewn rhyw bum munud!"

Troes Wang-Ho ei olygon o'r gornel pan glywodd lais Gwenllïan.

" 'Sgen i amsar i ga'l un arall?"

"Ti isho codi bora fory?"

Chwerthin a wnaeth Wang-Ho.

"Be gym'rwch chi?"

"Ffycin hel!"

"Be sy?"

"Be ddeudist ti?"

"Jyst gofyn be gym'rwch chi? ... sorri! Be gymri *di*?"

"Gan dy fod ti'n sbio mor hiraethus i'r gornal 'na, mi gym'ra i Sambucca!"

Teimlodd Wang-Ho'r gwrid yn codi i'w fochau. Beth oedd ynglŷn â'r hogan 'ma oedd yn gwneud iddo deimlo fel hyn? Beth oedd hi'n ei awgrymu? Oedd hi'n dyfalu beth oedd yn mynd trwy'i feddwl o y funud hon? Edrychodd drwy gornel ei lygad arni'n tynnu'r peint ac yna'n tollti Sambucca iddi'i hun. Roedd yr hen wên fach yna'n dal i hofran o gwmpas ei gwefusau.

"Mae hwn yn bumed peint i ti'i gael. Dyna'n union faint gest ti'r noson o'r blaen!"

"Dw i'n mynd i gerddad mynyddo'dd fory."

"Lle ti'n mynd 'lly."

"Ochra Llanberis ella."

"Dw i'm 'di cerddad mynyddo'dd ers blynyddo'dd."

"Oeddech chi'n … *chdi*'n gneud hynny erstalwm?"

Ac o gofio geiriau Parri yn gynharach, fe ddywedodd Gwenllïan glamp o gelwydd wrtho.

"Hefo Taid. Fe fydda Taid wastad yn deud fod yna rywbath sbeshal mewn cerddad mynydd. Fe fydda'n deud y bydda fo'n teimlo'n well jyst ca'l mynd i'w golwg nhw."

Bu Wang-Ho yn dawel am ennyd. Corddai ei feddwl. Ai cyd-ddigwyddiad oedd iddo glywed yr un peth ddwywaith mewn un diwrnod? Penderfynodd fentro.

"Be w't ti'n 'i 'neud fory, 'lly?"

"Gweithio. Hannar dydd tan un ar ddeg."

"Bechod."

" 'S raid i ti fynd fory?"

"Gin i fora rhydd …"

"Dw i'n rhydd ddydd Sul."

"Dydd Sul amdani 'lly! Mi a' i am ychydig fory, ac mi edrycha i 'mlaen at fora dydd Sul!"

"Faint o'r gloch, ac yn lle?" Dynesodd ato.

"Wyth? Lle ti'n byw?"

"Mi gerdda i i fa'ma."

"Iawn."

A phan ddywedodd y geiriau hynny fe blygodd Gwenllïan ato dros y bar, estyn ei llaw y tu ôl i'w ben, ei dynnu ati, a'i gusanu'n llawn ar ei wefusau. Yna gwthiodd ef oddi wrthi.

"Dos rŵan! I mi ga'l cau!"

Ac aeth Wang-Ho allan i'r nos.

Aethai ias drwyddo pan gyffyrddodd gwefusau Gwenllïan â'i wefusau yntau. Ac roedd yr un ias yn cerdded ei gorff rŵan wrth iddo gerdded adref.

Tra gwibiai'r ceir heibio iddo ceisiodd feddwl am y tro

diwethaf iddo gerdded adref. Y noson honno pan glywodd o'r llais. Beth pe digwyddai'r un peth heno eto? Ond mynnai ei feddwl ddychwelyd at Gwenllïan. Dychmygai bob math o bethau. Gwibiai lluniau i'w feddwl. Lluniau amharchus ohonyn nhw ar sedd yn y Groat. Criw ifanc yn gweiddi eu cymeradwyaeth. Gwefusau llawnion Gwenllïan yn sownd yn ei wefusau yntau. Yna'r "Ieeees!" yn boddi'r cyfan.

Cyn iddo sylweddoli hynny, roedd wrth borth yr Henblas.

Ceisiodd Wang-Ho sleifio'n dawel i'r tŷ. Roedd golau yn y llyfrgell ac roedd o'n amau mai Nain Cedora oedd yn dal ar ei thraed. Clepiodd y drws ar ei waethaf wrth iddo geisio'i gau, a daeth llais main o'r llyfrgell.

"Wang-Ho!"

Cerddodd i'r ystafell a dynesu at ei nain. Teimlai fel hogyn bach drwg yn rhoi cyfrif o'i ddrygioni.

"Lle buost ti?"

"Y Groat."

"Fe fuodd John Preis draw cyn mynd adra. Gofyn beth oedd yn digwydd ynglŷn â gorchymyn y cyngor sir."

"Dw i ddim wedi gneud dim byd eto."

"Ma'r llythyr wedi dod ers deuddydd!"

"Mi wna i rywbath bora fory." Yna cofiodd. "O na, fydda i ddim yma. Mi wna i rywbath fora dydd Sadwrn."

Synhwyrodd Wang-Ho fod yr hen wraig wedi meirioli cryn dipyn. Yn fwriadol y dywedasai na fyddai yno drannoeth gan ddisgwyl iddi ffrwydro. Wnaeth hi ddim.

"Lle w't ti'n mynd fory?"

"I gerddad mynyddoedd."

"Cerddad mynyddoedd."

Nid cwestiwn oedd o a doedd yna ddim syndod yn ei llais. Fe ailadroddodd y geiriau yn yr union dôn ag y llefarwyd nhw gan Wang-Ho.

"Mynd i olwg y mynyddoedd."

Edrychodd yr hen wraig arno am ychydig eiliadau.

"Dyna ddeudodd o wrthach chdi?"

Credai Wang-Ho fod ei nain yn siarad am Parri, ac eto sut y gwyddai hi? Doedd bosib ei bod hi rywfodd yn gwybod? Ceisiodd wasgu rhagor o wybodaeth ohoni.

"Dyna ddeudodd pwy?"

"Dw i'n ei nabod o'n well na ti cofia!"

"Nabod pwy?"

"Nabod dy daid!"

Rŵan, roedd Wang-Ho ar goll yn lân. Ai'r cwrw oedd yn pylu'i feddwl? Sut y gwyddai hi? Fel petai'n deall ei benbleth ychwanegodd Cedora:

"Mi wyddwn fod Parri wedi gweld rh'wbath y tro cynta y doth o yma. Matar o roi dau a dau hefo'i gilydd o'dd hi wedyn. A phan welis i'r olwg o'dd arno fo gynna' fach, hogyn Jasper o'dd o o'i gorun i'w s'wdwl! Rhaid fod dy daid wedi'i ddrenio fo!"

"Sut dach chi'n gwbod y petha 'ma?"

"Dw i'n teimlo'i bresenoldeb o bob dydd. Dw i'n gwbod 'i fod o'n ysbryd aflonydd. Y ddau ohonyn nhw! Dy dad 'fyd."

"Dach chi wedi siarad hefo fo?"

"Dw i'n siarad hefo nhw bob nos, 'ngwas annw'l i. Mi leciwn i petaet ti'n medru dallt rhai petha."

"Fel be?"

Am y tro cyntaf yn ei fywyd, fe welodd Wang-Ho lygaid ei nain yn gloywi. Doedd o erioed wedi'i gweld fel hyn o'r blaen. Ddim hyd yn oed yn angladd ei dad a'i daid. Doedd hi ddim wedi dangos dim emosiwn. Ond rŵan ... roedd hi'n pwyso a mesur ei geiriau'n ofalus.

"Faswn i fyth yn gneud un dim i dy frifo di, Wang-Ho ..."

"Dw i'n gwbod hynny, Nain!" A gwyddai rywsut mai rŵan oedd yr amser i fynd ati, a gafael amdani, yn union fel y gwnâi pan oedd yn blentyn. Hi, wedi'r cyfan, oedd ei nain a'i fam. Ati hi y byddai'n mynd … Penliniodd yn ei hymyl a gafaelodd am ei hysgwyddau.

"Paid â gweld chwith am be ddeudis i gynna fach."

"Wna i ddim, Nain. Dach chitha'n gwbod hynny!"

"Mae 'na ddeunydd gwell dyn ynot ti nag oedd yn dy dad a dy daid 'sti!"

Am y tro cyntaf ers tro, fe deimlai Wang-Ho dros ei nain. Pam y cynigiodd o, wyddai o ddim.

"Ydach chi isho gwrando ar fiwsig, Nain?"

Chwarddodd yr hen wraig.

"Fel oeddan ni'n ei wneud ar y nosweithiau hynny pan fyddai dy daid a dy dad yn dal yn yr hen gwt yna? Pam lai!"

"Be leciach chi ei glywad? Y clasuron? Miwsig y chwe dega? Dewiswch chi."

"Dyro dro i Bryn Terfel … yn canu Schubert … wyddost ti, fe fasa gwrando ar *Ständchen* yn falm i'r enaid."

Wedi rhoi'r peiriant Las-dot ymlaen, ciliodd Wang-Ho i ysgrifennu yn ei ddyddiadur tra gwrandawai Nain Cedora a'i llygaid ar gau ar y gerddoriaeth a ddylifai o'r seinyddion. Dwy neu dair brawddeg a ysgrifennodd Wang-Ho. Doedd arno ddim awydd ysgrifennu mwy. Dim ond wrth gau'r dyddiadur y croesodd rhywbeth ei feddwl, a rhegodd ei hun am beidio â meddwl ynghynt. Wrth gwrs! Dyddiaduron ei dad a'i daid! Roedd y ddau'n cadw dyddiaduron. Tybed a oedd yna rywbeth yn y rheini? Symudodd gadair yn nes at gadair olwyn ei nain a cheisio gofyn mor ddi-hid ag y gallai,

"Ble roedd Taid a Dad yn cadw'u dyddiaduron?"

"Ble ti'n 'feddwl?"

"Dw i'm yn gwbod neu faswn i ddim yn gofyn!".

"Yng nghrombil NESTA!"

Damia! Beth a ddywedasai Wing-Ha wrtho? Am fod yn ofalus o NESTA?

Am awr, bu Wang-Ho yn eistedd ar bwys ei nain, yn gafael yn ei llaw ac yn gwrando ar gerddoriaeth. Jerry Lee Lewis, Leonard Cohen, Madam Patti, Richie Thomas ... Erbyn y diwedd, roedden nhw am yn ail yn dewis unrhyw rif yn y Las-dot ac yn ceisio am y cyntaf ddyfalu wrth glywed dechrau'r gân beth oedd hi a phwy oedd yn canu.

Oedd, roedd amser wedi peidio â bod a Wang-Ho'n hapus unwaith eto.

Pennod 5

EISTEDDODD WANG-HO ar y graig ac edrychodd o'i amgylch. Roedd hi mor dawel yma. Tynnodd y map o'i boced a syllu arno.

Roedd o newydd ddringo'r Elidir Fach ac yn gorffwyso ar ei brig. I'r dwyrain roedd yr Elidir Fawr, i'r gorllewin y Bigil, ac yn syth o'i flaen i'r gogledd roedd eangder y gwastadeddau yn ymestyn i Fôn a thu hwnt. I'r de, roedd yr Wyddfa a'i chriw. Bloc enfawr du o fynyddoedd mawr bygythiol. Faint o gyfeiriadau oedd mewn llenyddiaeth Gymraeg at fynyddoedd? Dechreuodd feddwl:

'Dyrchafaf fy llygaid i'r mynyddoedd …'
'Fynyddoedd llwyd, a gofiwch chi …'
'Mae hiraeth yn y môr a'r mynydd maith …'
'Weithiau i'r môr ac weithiau i'r mynydd …'
'Eiry mynydd, gwyn bob tu …'
'Mab y mynydd ydwyf innau …'
'Pob mynydd a choron o rug ar ei ben …'
'Aros mae'r mynyddau mawr …'
'Nant y mynydd groyw, loyw …'
'Af i chwilio yn y mynydd, af i chwilio yn y glyn …'
'A braich wen yr heulwen oedd am hen wddw'r mynyddoedd …'
'Dim ond lleuad borffor ar fin y mynydd llwm …'
'Cymerais hynt i ben un o fynyddoedd Cymru …'
'Corlan y mynyddoedd, hawdd ei charu hi …'
'A phe bai gennyf yr holl ffydd fel y gallwn symudo mynyddoedd …'

Ond doedd yr un ohonyn nhw'n sôn am y mynydd a

mynyddoedd fel yr oedd Wing-Ha wedi synio amdanynt. Pam nad oedd yr un bardd o Gymro wedi synio am y mynyddoedd fel y gwnaethai'r hen ŵr hwnnw yn Hong Kong gynt, neu daid Gwenllïan? Eu cyfarch neu eu disgrifio a wnâi pawb. Pam na allai am un munud gael cwmni Wing-Ha unwaith eto? Pam na allai Weng-Hi ddweud rhywbeth wrtho?

Onid y Salmydd oedd yn sôn am symud mynyddoedd? Symud mynyddoedd! 'A phe byddai gennyf broffwydoliaeth, a gwybod ohonof y dirgelion oll, a phob gwybodaeth; a phe bai gennyf yr holl ffydd, fel y gallwn symudo mynyddoedd, a heb fod gennyf gariad, nid wyf fi ddim.'

Ceisiodd ddychmygu'r dasg o symud mynyddoedd Eryri. Byddai angen mwy na ffydd i symud y Carneddau, y Glyderau, yr Wyddfa a'i chriw ... 'a heb fod gennyf gariad ...' Pam hynny tybed. Ai cariad oedd o 'i angen?! A fyddai yntau'n symudo mynyddoedd petai ganddo gariad? Cariad at beth? Cariad at ei deulu? Cariad at gymar? Cariad at ei filltir sgwâr?

Edrychodd o'r gorllewin i'r de. Mor bell ag y gallai'r llygad weld roedd y mynyddoedd yno'n un bloc mawr cadarn. Lwmp disyfl. Fe fuon nhw yma erioed ac fe fyddan nhw yma byth. Beth tybed oedd eu cyfrinach?

"Eu cyfrinach yw eu hirhoedledd, Wang-Ho."

Syfrdanwyd Wang-Ho. Credai ei fod ar ei ben ei hun. O ble daethai'r llais?

"Mi ddois i hefo ti, Wang-Ho."

"P ... p ... pwy sy 'na?"

"Weng-Hi."

"Weng-Hi?!"

"Rwyt tithau'n gredwr, erbyn hyn."

"Yn gredwr?"

"Yng ngallu'r ysbrydol. Doedd mewnbwnio'r cyfan i gof NESTA ddim yn ofer felly?"

"Sut y gwn i pwy wyt ti?"

"Mi fuost yn siarad â Wing-Ha?"

"Do …"

"Ac mi gredaist yr hyn oedd ganddo fo i'w ddweud, neu ni faset ti yma rŵan."

"Ble mae Wing-Ha?"

"Fe gafodd Wing-Ha ei ryddhau i'r golau."

Oedd, roedd y llais yn debyg, ond roedd rhywbeth yn wahanol y tro hwn. Onid oedd Parri, pan oedd yn siarad â Wing-Ha, yn crynu i gyd? Onid oedd yn teimlo'r nerth yn cael ei amsugno o'i gorff? Ac fe roedd o, Wang-Ho, er ei fod yn cynnal sgwrs ag ysbryd Weng-Hi yn teimlo'n gwbwl normal! Atebodd Weng-Hi ei benbleth.

"Dydi'r llewyrch seicig ddim gen ti, Wang-Ho. Dwyt ti ddim yn teimlo presenoldeb ysbrydion fel Parri, ond oherwydd dy allu meddyliol fe elli di eu clywed."

"Ti ydi'r cynta i mi ei glywed."

"Y fi ydi'r cynta rwyt ti eisiau ei glywed. Beth oedd dy ddeisyfiad gynnau bach? Onid 'Pam na ddywedi di rywbeth wrtha i Weng-Hi?' – wel, dyma fi!"

Oedd o'n mynd i gredu'r llais? Doedd ond un ffordd o ffendio hynny.

"Ar beth oeddet ti a Wing-Ha yn gweithio pan fuoch chi farw?"

"Aha! Hwn ydi'r Wang-Ho dw i'n ei nabod! Rhoi prawf ar ei dad! Roedden ni'n gweithio ar y syniad o greu peiriant o djips. 'Operation Blodyn Tatws'! Roeddwn i a Wing-Ha, John Preis a dau arall o'r adran ymchwil wedi bod yn gweithio arno ers hanner blwyddyn."

"A doeddwn i ddim yn rhan o'r gwaith?"

"Roeddet ti'n rhy brysur hefo dy brosiectau sylweddol dy hun, ond roeddet ti i fod i ddod yn rhan o'r cynllun wedi i ti gael rhai profiadau …"

"Dyna ddeudodd Nain wrtha i."

"A dyna dw inna'n ei ddeud wrthyt ti."

"Pa fath o brofiadau?"

"Ers peth amser, Wang-Ho, roedd yna anniddigrwydd yn perthyn i ti. Ella 'i fod o'n dal i gorddi ynot ti? Roeddan ni'n argyhoeddedig mai angen cwmni merch oedd arnat ti, ac os oedden ni'n mynd i lwyddo gyda Blodyn Tatws roedd yn rhaid i bawb oedd yn gweithio ar y cynllun fod yn feddyliol barod am unrhyw broblem a allai godi."

"Pa fath o broblemau?"

"Yn benodol, rhywioldeb. O gofio y byddai Blodyn Tatws nid yn gymaint yn beiriant gwybodaeth fel NESTA, ond yn fwy fel person. Roedden ni am geisio creu enaid a chydwybod a theimladau – estyn y ffiniau ymhell y tu hwnt i ddim a wnaethpwyd o'r blaen – ac o'r herwydd roedd hi'n bwysig ein bod ni oll yn deall unrhyw broblem rywiol a allai godi. Y bwriad oedd creu Blodyn Tatws yn gyfaill i ti, Wang-Ho. Yn wir, o'i chreu'n ferch, fe allai Blodyn Tatws hyd yn oed fod yn gymar i ti ..."

Methodd Wang-Ho ag ymatal rhag torri ar ei draws.

"Ond dyna dw i'n gweithio arno rŵan! Creu NESTA fach symudol! Nid yn unig ei chreu hi, ond ei rhoi mewn gwisg o gnawd a rhoi ewyllys rydd iddi!"

"Bydd ofalus, Wang-Ho! Cofia mai bywyd gwarchodol a gest ti. Rwyt ti'n enaid unig."

"Fel roeddat titha, Weng-Hi."

Am eiliad bu Weng-Hi'n dawel.

"Roedden ni wedi penderfynu, dy daid, dy nain a minnau, fod rhaid iti gael cymar cyn dechrau ymhél â Blodyn Tatws."

"Doedd gen *ti* ddim cymar!"

"Ond mi ges i fwy na fy siâr o brofiadau! Ac mi ddylet tithau, ac mi gei o gael cymar."

"Ond pwy? Mi wn i 'mod i'n unig. Duw ŵyr 'mod i'n gwybod hynny. Ond rydw i eisiau rhywun y medra i rannu pethau hefo hi. Rhannu fy nghyfrinachau a'm meddyliau dyfnaf. Rhywun a fedr ymateb imi. Rhywun a fedr fy nghysuro yn yr oriau duon, rhywun a fedr fy nghymell pan ddaw amheuon, rhywun i gydlawenhau â mi yn fy llwyddiannau. Rhywun. Jest rhywun i lenwi'r bwlch enfawr yma sydd yn fy mywyd i."

"Eisiau merch wyt ti, felly?"

"Nage! Ie! Falle mai dyna dw i eisiau."

"Fuost ti yng nghwmni merch erioed?"

Daeth wyneb Gwenllïan i feddwl Wang-Ho.

"Nain Cedora ... a NESTA!"

"Nid dyna dw i'n 'feddwl, Wang-Ho. Fuost ti'n cerdded law yn llaw hefo merch? Fuost ti'n edrych yn ddwfn i lygaid merch. Fuost ti'n cyffwrdd corff merch. Fuost ti'n cusanu, yn anwesu, yn caru hefo merch? Yn mân siarad – dweud pethau gwirion, disynnwyr?"

Roedd wyneb Gwenllïan yn dal ym mlaen ei feddwl.

"I ba bwrpas."

"I bwrpas perthynas."

Pa fath o 'berthynas' fyddai hynny'n ei chreu? Dyna a wibiai drwy feddwl Wang-Ho. Pa bwrpas oedd mewn gwneud yr holl bethau yr oedd Wing-Ha newydd eu rhestru? Mân siarad? Dweud pethau disynnwyr? Pam? Roedd o'n deall caru. Roedd hynny'n gwbl glir iddo. Fel arall, sut ar wyneb y ddaear yr oedd yr hil ddynol i barhau? Yna troes ei feddwl eto at Gwenllïan. Onid oedd llawer o'r siarad a wnaethai'r ddau ohonyn nhw'n ddibwrpas? Ac onid oedd o wedi teimlo rhyw gynyrfiadau tuag ati? Yn enwedig pan blygodd hi dros y bar a phlannu cusan ar ei wefusau?

"Rwyt ti'n dawel iawn Wang-Ho?"

"Rydw i'n meddwl, Weng-Hi."

"Meddwl am beth?"

"Ymhle y ca i ferch i gael 'perthynas' â hi."

"Mae 'na gannoedd os nad miloedd o fewn ychydig filltiroedd i Henblas Glanllifon."

"Ond beth pe bawn i'n dewis y ferch anghywir?"

"Mi fyddi'n gwybod yn syth."

Os felly, roedd o'n bwriadu cerdded mynyddoedd gyda Gwenllïan ddydd Sul! Ond sut roedd o i benderfynu hynny?

"A cha i ddim gweithio ar Blodyn Tatws nes y bydda i wedi ffendio merch?"

"Dydi o ddim mor syml â hynny Wang-Ho. Mi fyddi di'n feddyliol aeddfetach i weithio ar Blodyn Tatws wedyn. Mi elli weithio ar y prosiect fory nesa, ond fe fydd angen mwy o grebwyll nag sydd gen ti ar hyn o bryd, a dim ond profiad o fywyd a all ddod â hynny i ti. Fe roddodd Wing-Ha air o gyngor i ti cyn gadael ..."

"Y mynyddoedd?"

"Ie. Dyma air o gyngor gen innau. Cofia di fy ngeiriau. Pan godais i'r cwt, ffordd dila oedd yn arwain oddi yno. Roedd hi'n bwysig i'r busnes, yn bwysig i'r dyfodol fod gen i wibffordd lydan braf yn arwain oddi yno. Honno oedd cyfrinach y cyfan. Yr allwedd i lwyddiant. Os nad wyt ti ar ffordd lydan braf, mae'n hawdd colli dy ffordd. Dyna pam yr ymleddais i gewyn ac asgwrn i gael y wibffordd newydd. Mi weriais arian ac mi dreuliais oriau yn lobïo yn y lleoedd iawn er mwyn cael y wibffordd. Fy ffordd i, Wang-Ho. Ffordd wedi ei pharatoi ar dy gyfer di a'r dyfodol. Rhaid i ti fod fel y wibffordd, Wang-Ho. Ar hyn o bryd rwyt ti'n troi yn dy unfan ac rwyt ti ar goll! Rwyt ti wedi colli dy ffordd, Wang-Ho."

"Dw i ddim yn deall ..."

"Mi fyddi di'n deall, Wang-Ho. Mi fyddi di. Cofia di'r cynghorion a gest ti gan dy deulu. Mi ddywedodd Wing-Ha wrthyt ti am bwysigrwydd gwarchodol y mynyddoedd, mi ddywedais innau wrthyt ti am bwysigrwydd creu llwybr clir o'th flaen, ac aros ar y ffordd, ac fe ddywedodd dy nain wrthyt ti am bwysigrwydd y cwt. Tri pheth y buom ni wrthi am flynyddoedd yn eu parchu, eu datblygu a'u gwarchod. Paid ti â'u hesgeuluso nhw, Wang-Ho. Er mwyn parhad y teulu. Er mwyn diogelu'r gadwyn â'r gorffennol.

Cofia'r tri pheth, Wang-Ho."

"Mi gofia i ..."

"Ac yn bwysicach ..."

"Be?"

"Beth fydd yn digwydd i'r cwmni wedi dy ddyddiau di?"

Petrusodd Wang-Ho cyn ateb. Doedd o erioed wedi meddwl am hynny.

"Rhaid i ti gael aer, Wang-Ho. Rhywun cymwys i gymryd yr awenau gen ti. Rhaid i ti ei ddysgu, a'i hyfforddi. Fedri di ddim gadael i'th etifeddiaeth fynd o ddwylo'r teulu."

"Rwyt ti'n rhoi baich go drwm ar fy 'sgwyddau."

"Mae o ar dy 'sgwyddau di 'rioed Wang-Ho, ond nad wyt ti wedi sylweddoli hynny. Mae o'n faich sydd ar 'sgwyddau pawb."

"Fedra i ddim ..."

"Dw i'n mynd, Wang-Ho ..."

"Fedri di ddim!"

"Mae Wing-ha yn fy nghymell i groesi ato."

"Weng-Hi!"

Ond roedd o wedi mynd a gadael Wang-Ho'n unig ar lethr y mynydd. Y diferion glaw ar ei wyneb a wnaeth i Wang-Ho sylweddoli hynny a dechrau symud.

"Weng-Hi!" gwaeddodd unwaith drachefn.

Taran a'i hatebodd. Clec anferth uwch ei ben nes roedd ei heco yn diasbedain o glogwyn i glogwyn. Yna daeth y glaw. Nid yn gawod fechan, ysgafn, ond yn lympiau oer, caled, cas a gwlyb. Lympiau oedd yn brifo. Dechreuodd Wang-Ho redeg, ond gwyddai'n iawn y byddai'n wlyb at ei groen cyn cyrraedd ei gar.

Arafodd ei gamau, ac arhosodd yn ei unfan. Cododd ei wyneb tua'r nef a theimlo'r glaw yn peltio'i wyneb. Dyma brofiad nas cafodd erioed o'r blaen. Dŵr yn llenwi ei wallt, ei ffroenau, ei geg a'i glustiau. Dŵr yn rhedeg i lawr ei wddf a'i gefn. Rhedeg o dan ei ddillad a thros ei ddillad. Dŵr glân yn golchi ac yn glanhau. Eisteddodd ar lawr, yna gorweddodd ar ei gefn. Roedd o eisau i'r dŵr yma, dŵr y mynydd, ei olchi'n lân. Yn araf dadwisgodd. Tynnodd ei got a'i grys, ei drowsus a'i drôns, ei esgidiau a'i sanau, a gorweddodd yno'n noethlymun. Smotyn bychan gwyn, glân yng nghesail eangder y mynyddoedd. Am unwaith yn ei fywyd yn un â natur.

* * *

Yn hwyrach y prynhawn hwnnw, cerddodd Wang-Ho i brif swyddfa'r Wing-Ha Weng-Hi Wang-Ho Electronic Co. Inc. Galwodd ar John Preis ato, a daeth hwnnw a'i wynt yn ei ddwrn. Doedd hi ddim yn arferol i Wang-Ho alw yn y ffatri. Y gweithwyr fel arfer a gâi symans i fynd i'r cwt neu i'r Henblas.

"Be ga i 'neud i chi, Wang-Ho?"

" '*Operation* Blodyn Tatws'! Ble mae'r ffeiliau?" holodd Wang-Ho.

Gwelwodd John Preis. Daethai'r cwestiwn fel bollten, a wyddai o ddim sut i ateb.

"Eich tad ..." cychwynnodd ddweud.

"Fo ddeudodd wrtha i."

Cawsai John Preis orchymyn penodol gan Weng-Hi nad oedd Wang-Ho i weld y ffeiliau nes y câi orchymyn penodol ganddo fo, a phan fu farw Weng-Hi tybiai John Preis fod Blodyn Tatws yn farw hefyd.

"Wel?"

Llais dyn diamynedd a glywai John Preis.

"Yn y prif labordy ... maen nhw yng nghrombil fy nghompiwtar i yn y prif labordy."

Dilynodd Wang-Ho John Preis. Aeth hwnnw i'r sêff ffeiliau ac estyn bocs o ffeiliau zip.

"Mae 'na chwaneg, ond mae'r rheini ar bapur."

"Ar bapur! Fe gadwodd Weng-Hi bethau ar bapur?"

"Do."

"Petai hyn yng nghof NESTA mi allwn i ..."

"Does yna ddim oll o'r prosiect yma yng nghof NESTA. Roedd hynna'n orchymyn pendant a phenodol gan Weng-Hi."

Synnodd Wang-Ho at y min oedd ar lais John Preis. Pam tybed? A pham nad oedd Weng-Hi wedi mewnbwnio'r cyfan i gof NESTA? Byddai hynny wedi gwneud y cyfan lawer yn haws.

"Mi fedra i ateb unrhyw gwestiwn s'gynnoch chi," cynigiodd John Preis. "Dw i'n gwbod y medar hwn weithio."

"Mi ddarllena i o gynta," oedd ateb swta Wang-Ho.

"Fe fuo Elain Lloyd a Brian Hughes yn gweithio hefo ni 'fyd."

"Mi ddarllena i o gynta, wedyn mi ddo i'n ôl atoch chi." A chiliodd John Preis.

Dychwelodd Wang-Ho i'w ystafell gyda'r papurau a'r ffeiliau zip a dechreuodd ddarllen. Bu wrthi am deirawr. Roedd tri chwarter y gwaith yn waith caib a rhaw. Gwaith a wnaethai Wang-Ho'n rhannol eisoes wrth gynllunio'i NESTA fach symudol. Ond y chwarter arall aeth â'i fryd. Yma, fe ddefnyddiwyd Elain Lloyd a Brian Hughes i ateb pob math o gwestiynau personol. Cwestiynau manwl am eu teimladau, eu hemosiynau, eu profiadau llon a lleddf, yn wir am bob agwedd o'u personoliaeth. Troswyd y cyfan i fformiwlâu cymhleth y gellid eu mewnbwnio i ficro-djips.

Yn yr adran hon roedd Weng-Hi a Wing-Ha yn amlwg wedi treulio'r rhan fwyaf o amser yn creu. Ac eto, er yr holl waith, gwyddai Wang-Ho fod yna rywbeth yn eisiau. Roedd yna rywbeth ar goll, ac ni fedrai yn ei fyw roi ei fys arno.

* * *

Yna gwawriodd arno. O osod y cyfan oedd yn y ffeil mewn peiriant newydd, yr hyn a geid mewn gwirionedd fyddai cyfuniad o wybodaeth anhygoel am ddau berson ynghyd â phroffil manwl o'u hemosiynau a'u teimladau. Yr hyn oedd ar goll, oedd yr unigolyddiaeth a geid o greu rhywbeth newydd. Rhyw gyfuniad bastardaidd fyddai creadigaeth fel hon. Roedd o, Wang-Ho, wedi bwriadu ymestyn y ffiniau. Mynd y tu hwnt i gopïo slafaidd. Ac eto, sut y gwnâi hynny? Heb gopïo slafaidd sut roedd modd symud ymlaen?

Darllenodd ffeiliau'r ddau weithiwr eto. Teimlai mai yma roedd y gyfrinach. Pwysodd Wang-Ho fotwm ar ei weleffôn.

"John Preis?"

Daeth hwnnw ar frys at y sgrin.

"Ydi Elain Lloyd a Brian Hughes yn dal i weithio i ni?

"Ydyn. Brian ydi un o'r ymchwilwyr gorau sydd yma, ac mae Elain rŵan yn gweithio yn fy swyddfa i. Roedden nhw'n awyddus iawn i gyfrannu i'r cynllun yma, er ..."

"Er?"

"Fe dalodd eich tad yn anrhydeddus iddyn nhw am fod mor onest, ac fe addawodd gyfrinachedd ..."

"Wrth reswm. A chitha?"

"Be dach chi'n feddwl?"

"Oeddach chi'n cael tâl ychwanegol?"

Os oedd Wang-Ho wedi darllen y ffeiliau i gyd fe wyddai'n iawn fod John Preis yn cael bonws anrhydeddus iawn am ei waith ar Blodyn Tatws.

"Roedd gen i drefniant hefo'ch tad ..."

"Am waith ychwanegol?"

"Ia."

Gafaelodd Wang-Ho yn y pentwr papurau oedd o'i flaen. Cododd swp ohonynt a ffliciodd y cyfan drwy'i ddwylo.

"Mi wela i gyfeiriad at daliadau ychwanegol, ond wela

i'r un ddalen yma wedi ei hysgrifennu gennych chi."

"Gwaith ..." cloffodd John Preis. "Gwaith arbenigol ... ar agwedd arall o'r prosiect oedd o."

"Ddaru chi ysgrifennu adroddiadau?"

"Do."

"Lle maen nhw?"

"Mo rois i'r cyfan i'ch tad."

Y munud y dywedodd o hynny, fe wyddai Wang-Ho mai celwydd oedd o.

"Ond mae gynnoch chi gopïau?"

Oedodd John Preis cyn ateb.

"Oes."

"Gwaith ar beth oedd o?"

"Astudiaeth o wahanol bobol."

Aeth yn gwestiwn ac ateb. Cwestiwn ac ateb fel cystadleuaeth ffensio.

"Pwy?"

"Cynghorwyr. Seneddwyr."

"Pwy arall?"

"Pobol yn gyffredinol."

"Pobol gyffredin?"

"Ia."

"Fel pwy?"

"Fel ... fel ... Arglwydd Tai Twan."

"Ffrind Taid?"

"Ia."

"I ba bwrpas?"

Synhwyrodd Wang-Ho yn syth fod yna fur yn codi rhyngddo a John Preis. Tra oedd ei dad a'i daid byw, roedd teyrngarwch John Preis yn absoliwt iddyn nhw. Rŵan, ac yntau wrth y llyw, roedd yna rywbeth yn dal John Preis yn ôl. Cofiodd eiriau ei nain: 'Meddylia fel dy dad a'th daid!'

Beth allai briff John Preis fod? Astudio gwahanol bobol. Roedden nhw'n gweithio ar brosiect mawr pwysig.

Prosiect nad oedden nhw'n gweld yn dda i'w gynnwys o, Wang-Ho, yn rhan ohono. Ac yna, fel fflach, fe wawriodd arno, a chofiodd eiriau ei daid. John Preis ffyddlon!

Pan oedd angen dyrchafu pennaeth ar y ffatri, beth oedd y frawddeg a gariodd y dydd? Beth ddywedasai Wing-Ha? 'John Preis ydi'n dyn ni. Dyn sy'n reddfol yn nabod gwendidau a chryfderau pobol.'

Onid oedd Nain Cedora a Weng-Hi wedi dweud wrtho yn eu ffyrdd eu hunain nad oedd o'n feddyliol barod i ymgymryd â chyfrannu gwaith ar brosiect Blodyn Tatws? Ai bod yn garedig oedden nhw? Oedd yna fwy nag yr oedden nhw'n ei ddatgelu?

"Sut ddyn dach chi'n meddwl ydw i, John Preis?"

Daeth yr ateb yn syth.

"Yn debyg iawn i'ch tad a'ch taid mewn llawer ffordd. Yn rhagori arnyn nhw mewn rhai ffyrdd ..."

Roedd yn bryd iddo bysgota rŵan, ond fe wyddai iddo fachu gyda'r tafliad cyntaf.

"A sut adroddiad a sgwennoch chi arna i?"

Doedd John Preis ddim yn disgwyl y cwestiwn a wyddai o ddim sut i ateb. Nid bwriad Wang-Ho oedd ei yrru i gornel, a chynigiodd ddihangfa iddo.

"Mi wn i am y diffygion sy'n perthyn i mi. Mi wn i hefyd fod gan Wing-Ha a Weng-Hi amheuaeth am fy – fy mhrofiad, os ca i ei roi o felly – i weithio ar Blodyn Tatws, ond mae hynny yn y gorffennol rŵan. Yr hyn dw i isho'i ofyn i chi ydi: oes gynnoch chi ddiddordeb mewn ailgychwyn gweithio ar y prosiect?"

"Oes! Wrth reswm!"

"A chael taliadau bonws anrhydeddus?"

"Oes."

"Beth am Elain Lloyd a Brian Hughes?"

"Yn sicr fe fyddai ganddyn nhwythau hefyd!"

"Os felly, dw i angen tri pheth. Yn gynta dwy awr o'ch amser chi, y peth cynta fore dydd Llun. Yn ail, dwy awr i holi Elain Lloyd, a dwy awr i holi Brian Hughes – ar eu pennau eu hunain."

"Dw i'n siŵr y cytunan nhw."

"Yn drydydd ..."

"Ia?"

"Copi o'ch adroddiad chi arna i."

Tynnodd John Preis ei anadl ato. Cododd Wang-Ho ei law. Gwenodd.

"Dw i'n siŵr y do i i adnabod fy hun yn well!"

Hanner gwenu ddaru John Preis. Doedd o ddim yn gwarafun rhoi copi o'i adroddiad i Wang-Ho er y gwyddai y byddai'n rhaid iddo ddileu rhai adrannau ohono, ac roedd o wedi cynhesu cryn dipyn ato yn ystod yr oriau diwethaf, ond roedd yna rywbeth ynglŷn â fo. Rhywbeth na allai roi ei fys arno.

"Mi ddo i â'r adroddiad i'r Henblas ymhen yr awr."

"Mi fydda i yn y cwt."

"Mi ddo i i fan'no."

A diffoddodd y weleffôn.

Gadawodd Wang-Ho y ffeiliau yn ei ystafell ac aeth draw i'r cwt. Gallai dreulio awr neu ddwy gyda NESTA yn ei holi unwaith eto am ddichonoldeb Blodyn Tatws. O leiaf roedd ganddo ganllawiau pendant i'w dilyn rŵan.

"Enaid, cydwybod, ewyllys a theimladau," sibrydodd yn uchel wrtho'i hun wrth agor y drws.

A dyna'r union eiriau a lefarodd wrth NESTA.

"Rhaid i Wang-Ho greu bocs sgwâr."

"Na! Fe fydd Blodyn Tatws mewn gwisg ddynol, ac ar ffurf a siâp dynes."

"Fe fydd angen dau fetr cwbig arall os yw Wang-Ho yn dymuno rhoi enaid, cydwybod, ewyllys a theimladau i NESTA fach symudol."

"Heb y rheini, fydd hi ddim gwahanol i *cyber-cops* Efrog Newydd, neu robotiaid Mars. Beth ydi'r dewis arall?"

"Mae dau ddewis gan Wang-Ho."

"Beth ydyn nhw, NESTA?"

"Dewis un: ychwanegu at faint NESTA fach symudol. Dewis dau: gosod NESTA fach symudol ar blatfform symudol."

"Fel cadair olwyn?"

"Cadarnhaol."

Daeth gwên i wyneb Wang-Ho. Dychmygai Blodyn Tatws fel Nain Cedora yn mynd i bobman mewn cadair olwyn, ond byddai gosod cyfyngiadau o'r fath yn trechu holl bwrpas y prosiect. Ei fwriad oedd creu merch gyfan a chyflawn. Un a fyddai'n gallu symud a siarad fel merch gyffredin.

"Awgrym i Wang-Ho."

"Beth ydi o?"

"Gellir ychwanegu at daldra a maint bronnau a phen-ôl NESTA fach symudol. I gael y maint cydbwyseddol, byddai mesuriadau NESTA fach symudol yn newid i 46-36-48."

"Fedr NESTA ddylunio maint a siâp i mi ar y sgrin?"

"Cadarnhaol."

Mewn ychydig eiliadau ymddangosodd darlun tri dimensiwn o'i flaen.

"Fedr NESTA ychwanegu darlun o Wang-Ho yn ymyl y darlun yma?"

"Beth yw taldra a phwysau Wang-Ho?"

"Taldra: cant wyth deg centimetr. Pwysau: saith deg chwech kilo."

"Cadarnhaol."

Polyn lein a pheg oedd y geiriau a ddaeth i feddwl Wang-Ho pan welodd y darluniau'n gyfochrog.

"Na! NESTA. Mae'n rhaid i Blodyn Tatws fod yn llawer llai. Mi ddo i â'r union fesurau i ti eto."

"Awgrym i Wang-Ho."

"Beth ydi d'awgrym di, NESTA?"

"Mae'n bosib rhannu NESTA fach symudol yn ddwy."

"Be?"

"Gellir cael NESTA fach symudol gyda chof cyfyngedig yn cerdded ac yn symud, a NESTA fach gyflawn ar blatfform symudol."

Bu Wang-Ho yn troi a throsi'r syniad hwnnw yn ei feddwl hefyd, ond yn y diwedd dim ond un peth a wnâi'r tro. Byddai'n rhaid i Blodyn Tatws sefyll ar ei thraed ei hun, a bod yn gopi mor agos ag y gallai Wang-Ho ei greu o ferch gyffredin.

O'r cwt aeth ar ei union yn ôl i'w ystafell. Cydiasai'r ysfa greadigol yn gryf ynddo ac roedd mynydd o waith o'i flaen. Ond roedd hwnnw'n fynydd yr oedd yn fwy na pharod i'w goncro.

Doedd John Preis ddim wedi dod â'r adroddiad i'r cwt fel yr addawsai, ond yn hytrach wedi mynd â fo i'r Henblas, ac wedi'i adael mewn amlen gyda Ron.

Setlodd Wang-Ho yn y gadair esmwyth ger y ffenest i ddarllen yr adroddiadau, gan ddechrau gyda'r adroddiad arno fo'i hun.

O'i gymharu â'r ddau adroddiad ar Elain Lloyd a Brian Hughes, byr iawn a chymharol ganmoliaethus oedd yr adroddiad ar Wang-Ho. Cyfeirid ato fel aderyn unig, person mewnblyg, yn ymylu ar fod yn feudwyaidd ei natur ac yn anghymdeithasol. Ond wedi darllen trwyddo, fe gâi Wang-Ho'r syniad mai pytiog ac anghyflawn oedd yr adroddiad. Fel petai rhywun wedi doctora darnau helaeth ohono.

Darllenodd. *'Nid yw'r unigrwydd hwn yn arwyddocaol ...'* O edrych yn ôl trwy'r adroddiad, doedd dim cyfeiriad at unigrwydd cyn hynny o gwbl. A ddylai alw John Preis? Penderfynodd beidio.

Yn hytrach estynnodd ei lyfr nodiadau a throi at yr adroddiad ar Brian Hughes. Roedd yn ei fryd a'i fwriad i osod Brian ac Elain o flaen camera fideo a pharatoi holiadur maith a manwl iddyn nhw. Ac fe fyddai'r holiadur hwnnw yn canolbwyntio ar bedwar peth. Enaid, cydwybod, ewyllys a theimladau. Fe fyddai'n eu holi nhw'n dwll ac yn ceisio tynnu a gwahanu'r elfennau hynny o'u personoliaeth. Ei fwriad wedyn oedd eu hail greu ar ficrodjips a'u mewnbwnio i gof Blodyn Tatws.

Gwelodd Wang-Ho'n syth nad oedd manylder yn holi John Preis wrth lunio'r adroddiad ar Brian Hughes.

Dwy drasiedi oedd yn nodweddu bywyd cynnar Brian. Buasai ei fam farw pan oedd Brian yn ddeuddeng mlwydd oed, a bu farw brawd iddo mewn damwain ar y lôn ger Conwy pan oedd yn ddeunaw oed. Roedd y ddau ddigwyddiad yn amlwg wedi gadael eu creithiau.

Soniai byth a beunydd am ei fam, y dyddiau cynnar y cofiai fod yn ei chwmpeini, y mân bethau a gofiai o ddyddiau plentyndod: eistedd ar ei glin, gwthio'i ben i glydwch ei mynwes mewn oedfa ar y Sul, gafael yn ei llaw wrth gerdded i'r ysgol, a'r gwacter a'r digofaint a deimlai pan fu hi farw. Ac er iddo deimlo pan fu farw'i frawd ei fod yn galetach person, ac yn fwy parod i dderbyn yr ergyd, eto roedd yn amlwg i'r ddamwain honno fod yn ergyd enbyd hefyd. Y modd y ceisiodd Brian ymdopi â'r trasiedïau oedd ymollwng i weithio, ac fe gafodd yrfa academaidd ddisglair.

Pan orffennodd ddarllen, dechreuodd Wang-Ho nodi'r elfennau o bersonoliaeth Brian a fyddai'n fuddiol eu trosglwyddo i gof Blodyn Tatws. Y teimlad o golled, a'r ewyllys i lwyddo oedd gryfaf.

Gallai ei holi ymhellach ynglŷn â hynny ar fideo.

Gwahanol iawn oedd yr adroddiad ar Elain Lloyd. Roedd yna dudalennau lu am ei bywyd personol a rhywiol, ei ffantasïau, ei gwahanol gariadon, a'i theimladau Gellid yn hawdd credu, yn ôl yr adroddiad beth bynnag, mai rhyw oedd yr unig beth oedd ar feddwl Elain Lloyd. Roedd yr adroddiad yn llawn manylder am ei hobsesiwn â rhyw. Rhestrai ddegau o gariadon ac roedd John Preis wedi'i holi'n fanwl ynglŷn â phob un ohonynt. Sylweddolodd Wang-Ho'n fuan na fu unrhyw ymgais i gyffwrdd â'r un agwedd arall o'i bywyd ar wahân i ryw. Doedd dim sôn am gefndir, am fagwraeth, am addysg na chymwysterau gwaith. Aeth Wang-Ho at ei gyfrifiadur a phwyso botwm y gweithle.

"Personél, benywaidd, Elain Lloyd." Siaradodd i'r meic.

Un ddalen a ddaeth i'r sgrin. Enw, cyfeiriad, dyddiad geni. Dim manylion addysg na chymwysterau. Penodwyd yn Chwefror 2044 gan John Preis a Weng-Hi. Gweithio'n benodol ar brosiect B/T. fel ymchwilydd arbenigol. 2045 hyd y presennol fel ymchwilydd i John Preis. Doedd dim manylyn arall.

Edrychodd Wang-Ho eto ar yr adroddiad. Fe'i paratowyd yn 2044, chwe mis union wedi i Elain Lloyd ymuno â'r cwmni.

Methai'n lân â deall pam fod Weng-Hi wedi rhoi cymaint o bwyslais ar yr ochr rywiol i Blodyn Tatws. Os mai ei fwriad, yn ôl yr hyn a ddywedasai ei nain wrtho, oedd clonio cynghorwyr … Dychwelodd Wang-Ho eto at ymchwil ei dad a'i daid ar Blodyn Tatws. Oedd yna unrhyw beth yno a allai roi cliw iddo? Er darllen ac ailddarllen, ni welai unrhyw beth a gyfeiriai yn benodol at ymchwil o'r fath.

Am rŵan fodd bynnag, roedd o wedi blino a phenderfynodd mai mynd i'r gwely fyddai orau. Ychydig oriau o gwsg anesmwyth a gafodd. Bu'n troi a throsi wrth feddwl am Brian Hughes ac Elain Lloyd. Ar un wedd roedd Brian yn hogyn lwcus. O leiaf fe gafodd o adnabod ei fam am ddeuddeng mlynedd; roedd hynny'n well na pheidio cael mam o gwbl. Ac Elain Lloyd? Yr un oedran yn union â Wang-Ho ac wedi cael pob math o brofiadau a phleserau rhywiol na chawsai o mohonynt o gwbl, profiadau yr oedd o y funud hon yn dyheu am eu cael.

Ai dal i freuddwydio yr oedd ei fod yn codi o'i wely ac

yn mynd i'r ystafell ymolchi? Ai breuddwyd oedd estyn y goriad i'r ffau unwaith eto, a gorwedd yno'n noethlymun wedi cyrlio'n belen yn edrych ar y blaidd? Ai breuddwydio a wnaeth mai yno, yn ei ffau y noson honno, y daeth i benderfyniad?

Doedd Blodyn Tatws ddim yn mynd i fod yn greadigaeth fawr. Doedd hi ddim yn mynd i ymestyn y ffiniau gymaint â hynny. Clôn yn unig fyddai hi. Gris ar gyfer camau breision yn y dyfodol. Nid cymysgu emosiynau gwahanol bobl oedd ei angen. Onid cymryd un person fel esiampl y dylai o ei wneud? Ei astudio a'i ddadansoddi, ei stumio a'i newid, a dysgu wrth fynd ymlaen?

Breuddwyd neu beidio roedd o wedi penderfynu. Fe fyddai Blodyn Tatws yn glôn o Gwenllïan.

Pennod 6

Yn ôl ei arfer, roedd Wang-Ho wedi codi am chwech. Ond roedd o wedi deffro'n gynt nag arfer y bore hwn, am fod ganddo bethau i'w trefnu cyn cyfarfod â Gwenllïan. Roedd yna gynnwrf yn cyniwair drwy'i holl gorff. Y cynnwrf hwnnw oedd yn perthyn i antur. Antur yr anhysbys.

Buasai wrthi'n ddyfal yn gosod y camera cudd yn yr ystafell ymolchi y noson cynt. Agorodd y drws, a gwthio swits y golau. Craffodd i'r tywyllwch y tu hwnt i'r bwlb a'r lamp yn y nenfwd. Oedd, roedd y golau bach coch yn dangos fod y camera'n gweithio. Byddai'r microffon yn gweithio hefyd felly.

Yr un modd, gwnaeth yn siŵr fod y camera yn yr ystafell wely yn gweithio hefyd. Edrychodd eto o'r golau i lawr at y gwely oddi tano.

Nesaf estynnodd ei wats sain. Teirawr o dâp yn unig oedd ar y recordydd yn honno; byddai'n rhaid iddo ddewis a dethol ei amseru'n ofalus. Ni chroesodd ei feddwl o gwbl a oedd o'n deg â Gwenllïan yn gwneud y pethau hyn. Ar un peth yn unig yr oedd ei ffocws. Prosiect 'Blodyn Tatws'. Y peth pwysicaf oedd ei fod yn casglu hynny o wybodaeth amdani ag y gallai. Y fo, a fo yn unig fyddai'n prosesu'r wybodaeth. Doedd dim rhaid i John Preis, nac Elain na Brian weld yr un llun na chlywed yr un gair.

"Blodyn Tatws." Dywedodd yr enw'n uchel wrtho'i hun.

Onid oedd Parri wedi galw Gwenllïan yn 'Blodyn'? A chan mai merch o djips yr oedd o'n bwriadu ei chreu, priodol iawn oedd galw'i greadigaeth yn 'Blodyn Tatws'.

Gwisg blaen fyddai'n gweddu i'r diwrnod. Crys, siwmper, a throwsus. Dim angen cario dim byd, dim ond ei wats wrth reswm, ac ychydig o bres.

Cyn cychwyn, aeth i gerdded gardd yr Henblas. Bore digon oer. Fyddai'n well iddo gael côt? Na. Côt ysgafn, falle, rhag iddi daro cawod. Yna cofiodd fel y bu iddo gael ei ddal ar y mynydd ddeuddydd ynghynt. Ond doedd o ddim ar fwriad mynd yn agos at unrhyw fynydd heddiw.

Penderfynasai mai diwrnod a noson ofer a gâi – ond fe fyddai'r wybodaeth a gasglai o werth dirfawr iddo.

Aeth i'r garej ac yn ôl ei arfer, edrychodd mewn edmygedd ar y car cyn agor y drws ac eistedd wrth lyw'r Aston Martin.

Gosododd ei law ei hun ar yr amlinellaid o law oedd ar y monitor o'i flaen.

"Wang-Ho," meddai'n uchel wrth y prosesydd oedd uwchlaw'r sgrin wynt.

Gan fod clo llais-a-llaw ar y car, Wang-Ho'n unig a allai ddatgloi'r compiwtar a'i cychwynnai.

Ychydig o bleserau oedd yna i'w cymharu â dreifio hwn. Yn gyntaf, tynnodd anadl ddofn i sawru arogl y car. Clywai arogl y lledr yn llenwi'i ffroenau. Injan chwe litr yn cynhyrchu 400 bhp. Gallai gyrraedd o 0-65 mewn llai na phum eiliad. Roedd y gyriant yn llyfn a chadarn hyd yn oed wrth gyrraedd 100 milltir yr awr, a'r peiriant yn canu grwndi ysgafn fel cath fach. Ond hyd yn oed ar y cyflymder hwnnw, byddai llorio'r sbardun yn gallu mynd â gwynt dyn. Yr adeg honno y deuai'r *supercharger* i rym a theimlai Wang-Ho ei fod yn gyrru car gwahanol. Roedd hyrddiad disgyrchiant yn ei wasgu'n dynn yn ei sedd, a'r unig sŵn i'w glywed bron oedd y teiars ugain modfedd yn brathu ac yn glynu wrth y lôn. Dyma oedd nefoedd! Dyn a pheiriant yn un!

Taniodd Wang-Ho'r botwm a rhuodd yr injan. Yn araf a gofalus llywiodd y car i lawr y dreif ac allan at y wibffordd. Edrychodd ar y cloc. Awr dda cyn cyfarfod Gwenllïan. Âi am dro i Gaerheli ac yn ôl.

Llifai'r cerbydau un ar ôl y llall heibio i fynedfa'r Henblas. Pan welodd fwlch, gwasgodd y sbardun. Ymatebodd yr injan a llamodd y car i'r ffordd. Eisteddodd Wang-Ho yn ôl yn ei sedd. Roedd yn mynd i fwynhau pob eiliad o'r daith.

Codasai Gwenllïan hithau'n gynnar. Wedi ymolchi, bu'n ymbincio cyn cymryd tamaid o frecwast. Wrth edrych arni hi'i hun yn y drych, craffodd eilwaith ar y crychau bychain oedd yn dechrau ymddangos o amgylch ei llygaid. Oedd hi'n manteisio'n anonest ar Wang-Ho? Ar brydiau deuai plyciau o gydwybod i'w phoeni.

Doedd dim dwywaith nad oedd Wang-Ho'n wahanol. Diniweidrwydd oedd y gair cyntaf a ddeuai i'w meddwl. Roedd yna ddiniweidrwydd yn perthyn iddo. Na, nid diniweidrwydd oedd y gair, naïfrwydd efallai. Wrth siarad â hi, roedd fel pe bai'n mygu'i swildod a'i guddio y tu ôl i ryw chwerthiniadau bychain od. Efallai ei fod yn swil ac yn naïf, ac efallai yn wir mai ochr negyddol i'w gymeriad oedd hynny, ond yr oedd yna un ffaith gadarnhaol amdano. Roedd o'n gyfoethog!

Doedd ganddi ddim awydd nac amynedd mynd i gerdded mynyddoedd, ond gallai ddychmygu y byddai Wang-Ho wedi bod yn prynu'r gêr i gyd. Esgidiau trymion, trowsus, a dillad addas i ddringo Everest! Gan fod ganddi bâr o 'sgidiau cryfion, roedd am wisgo'r rheini, trowsus, a chôt rhag ofn iddi daflu cawod. Pe bai'n onest â hi'i hun, wyddai hi ddim i sicrwydd a fyddai Wang-Ho yn dod o gwbl, ond roedd hi'n siŵr braidd fod y gusan y noson o'r blaen wedi selio'r fargen a'r dêt. Oedd hi'n hen bitsh yn defnyddio'i rhywioldeb i'w ddenu? Roedd hi'n rhy hwyr i boeni am hynny rŵan. Er y gwyddai y byddai o leiaf chwarter awr yn gynnar, dechreuodd gerdded tua'r Groat.

Pan sgrialodd y DB50 rownd y gornel ac aros yn ei

hymyl, camodd Gwenllïan yn ei hôl i edmygu'r car cyn agor y drws a gwenu ar Wang-Ho.

"Posh! 'Di hwn ddim yn rhy grand i fynd â ni i ben mynydd?"

" 'Dan ni 'm yn mynd i ben 'run mynydd!"

"Be? Ffycin hel!"

Llithriad oedd y rheg, a chododd ei llaw at ei cheg, ond chwerthin a wnaeth Wang-Ho.

"Dw i 'di gweld digon o fynyddoedd echdoe!"

"Iesu, dw i 'di gwisgo fath â Sherpa!"

Edrychodd Wang-Ho arni o'i chorun i'w sawdl. Côt drwchus, trowsus trwm a phâr o esgidiau cryfion.

"Be 'di'r ots? Dw i'n ffansïo sesh! Ty'd i mewn."

Ac i mewn â hi. Suddodd i'w sedd. Doedd hi erioed wedi teithio mewn cerbyd fel hwn o'r blaen.

"Lle 'dan ni'n mynd?"

"Dre?"

" 'Dyn nhw ddim 'di agor rŵan, y crinc. Un ar ddeg 'di amsar agor!"

"Fe fydd 'na archfarchnad yn 'gorad."

Dead cert!"

A chwerthin a wnaeth Wang-Ho hefyd.

"Yli, gym'ran ni heddiw fel y daw o. Dw i'n parcio'r car yn dre ac yn anghofio amdano fo."

"Sut 'dan ni'n mynd adra?"

"Cerddad, rhedag, cropian ... be 'di'r ots. Ga'n ni ddiwrnod cyfa o falu cachu!"

Ai Wang-Ho y dyn busnes oedd yn siarad? Taflwyd Gwenllïan oddi ar ei hechel yn llwyr. Roedd hi wedi llawn ddisgwyl trefniadau penodol. Cychwyn am naw. Dringo a cherdded am ddeg. Cinio am hanner dydd. Cerdded. Dringo. 'Nôl am hanner awr wedi tri. Te bach am bedwar. Gartref erbyn pump. Beth oedd wedi digwydd?

Ym maes parcio'r archfarchnad y gadawodd Wang-Ho'r car.

"Ty'd!"

"Be am y car?"

"Mi ddo i i'w nôl o fory."

A braich ym mraich fe gerddodd y ddau drwy'r drysau llydain a heibio i'r silffoedd gan ddewis eu hymborth am y diwrnod. Pan oedd Gwenllïan yn edrych ar un o'r silffoedd, gwthiodd Wang-Ho fotwm y recordydd ar ei wats.

"Pacad o'r rhein?"

"Dw i 'm yn lecio'r rheina!"

"Oes 'na rywbath wyt ti *yn* 'i lecio?"

Edrychodd Gwenllïan ar gynnwys y fasged hyd yn hyn. Doedd fawr ddim ynddi. Pedair potelaid o win a dau becyn o fisgedi siocled.

"Liebfraumilch a Kit-Kats!"

"Bydded felly!"

A dyna'r unig bethau a brynwyd. Pedair potel litr o win gwyn erchyll o'r Almaen, ac wyth bar mawr o Kit-Kat.

"Gawn ni fawr o hwyl hefo'r rhain!"

Cododd Gwenllïan ei llaw at boced frest ei chôt. Tapiodd y boced.

"Gin i rywbath i godi hwyl!"

"Be 'lly?"

Caeodd ei gwefusau'n dynn a gwnaeth geg sws.

"Gei di weld!"

"Lle awn ni 'ta?"

"Am y foryd?"

"Iawn."

Ac i ffwrdd â nhw, Gwenllïan yn gafael yn ei fraich ac yntau'n swingio'r bag oedd yn cynnwys y gwin a'r Kit-Kats.

"Dilyn y lan?"

"Iawn."

"I Ben Llŷn?"

"Os bydd amser yn caniatáu!"

Cwta chwarter awr o gerdded, ac eisteddodd Gwenllïan ar ochr y ffordd.

"Dw i'n chw'su! Brêc?"

"Kit-Kat ne' gwin?"

"Y ddau!"

"Damia!"

"Be sy?"

"Sgin i 'im byd i agor y poteli gwin!"

"Shit! Pasia un yma."

Yn araf gwthiodd Gwenllïan y corcyn i lawr gwddw'r botel.

"Dos i nôl brigyn i'r coed yn fan'na."

"Brigyn?"

"Ia, brigyn. Darn o goedan – digon tena i'w wthio i lawr corn gwddw'r botal 'ma!"

Ar ôl dychwelyd, bu Wang-Ho'n edrych mewn syndod ar Gwenllïan yn gwthio'r corcyn a'i ddal yn y botel tra oedd hi'n swigio'r gwin. Ac fe roedd hi'n swigio!

Wrth iddi godi'r botel a rhoi ei phen yn ôl, sylwodd Wang-Ho ar ei gwddf gwyn yn diflannu i berfeddion ei chrys a'i chôt. Fe gafodd yr awydd mwyaf uffernol i fynd ati, tynnu'r botel o'i cheg, a'i chusanu. Sut tybed byddai hi'n ymateb iddo pe gwnâi o hynny?

"Helpa fi, wir Dduw!"

Cymerodd y botel oddi arni. Daliodd un pen i'r brigyn yn y botel gan geisio'i hefelychu hi. Blasai'r gwin fel wermod lwyd ei nain erstalwm, ond yfed ac yfed a wnaeth o. Yfed yn bennaf am fod Gwenllïan yn edrych arno, ac roedd o'n benderfynol o geisio'i phlesio.

Am y tro cyntaf bu Gwenllïan yn ei astudio yntau'n fanwl. Roedd o siŵr o fod bum neu chwe blynedd yn hŷn na hi, ac yn cario gormod o bwysau. Bywyd bras siŵr o fod! Doedd arweddau a nodweddion dwyreiniol ei dad a'i daid ddim mor gryf yn Wang-Ho. Yn wir roedd yna benderfyniad i'w weld yn y llygaid duon a'r talcen uchel. Ac roedd cyhyrau amlwg ei freichiau'n argoeli'n dda am weddill ei gorff. Ond ei wefusau oedd yn denu sylw Gwenllïan. Dychmygai'r gwefusau yn teithio'n ysgafn ar hyd bob rhan o'i chorff. Gwefusau llawnion, gwefusau cochion. Gwefusau y bu ei gwefusau hithau'n eu cyffwrdd ychydig ddyddiau yn ôl. Aeth cryndod drwyddi. Roedd yn dal ym myd dychymyg pan ofynnodd:

"Ga i ofyn cwestiwn i chdi?"

"Cei."

Gwelodd Gwenllïan ef yn gwthio'r botwm ar ei wats. "Be ti'n 'neud?"

"Watsh ma 'di stopio ne' rywbath."

"Wel, be ti isho'i ofyn?"

"Sut ma' rhywun fel chdi heb ffendio cariad?"

"Pam rhywun fel fi? Be amdanat ti?"

Oedd hi'n osgoi ateb drwy ofyn cwestiwn?

"Dw i jyst ddim wedi cymryd diddordeb mewn merchaid. Erioed."

Cyfaddefiad mawr, ond ni welai Wang-Ho yr un ffordd arall o geisio closio at Gwenllïan ond trwy ymddangos yn agored. Ac roedd o wedi sylwi ar y ffordd yr oedd hi wedi codi'i phen yn sydyn ac wedi edrych arno ar ôl iddo ddweud hynny.

Wyddai Gwenllïan ddim pam yr atebodd fel y gwnaeth, ond yn sydyn, doedd hi ddim eisiau dweud celwydd wrtho.

"Mae 'na rywbath dw i heb 'i ddeud wrtha chdi."

"Be 'di hwnnw 'lly?"

Bu'n dawel am ennyd. Yna trodd ato ac edrych i ddwfn ei lygaid.

"Ma' gen i gariad."

"O?"

Ceisiodd Wang-Ho swnio'n ddidaro. Y gwir amdani oedd i'w galon suddo pan ddywedodd Gwenllïan hynny. Ar unwaith roedd Wang-Ho isho gwybod pwy oedd o.

Oedd o'n ei nabod? A pham ar wyneb y ddaear y cytunodd Gwenllïan i ddod am ddiwrnod hefo fo? Sut y byddai'n egluro hynny wrth ei chariad?

"Wel, 'di o 'm yn gariad go iawn."

"Be 'lly?"

"Gŵr priod." Bu ennyd o dawelwch. Gwenllïan a siaradodd nesaf. "Ydi hynna'n newid petha?"

Ysgydwodd Wang-Ho ei ben, a gwenodd i guddio'i siom.

"Dim o'm rhan i. Diwrnod o falu cachu dw i 'i isho."

"Reit! Finna hefyd. Sybject closd! Estyn y botal!"

Ond daliai Wang-Ho i feddwl am ei geiriau. Pwy oedd y basdad lwcus? Pam bu rhaid iddi ddweud wrtho o gwbl? Pam na fyddai wedi cau'i cheg? Ceisiodd daflu golwg sydyn ar ei watsh i wneud yn siŵr fod y tâp yn troi. Rhag ofn ei bod wedi sylwi arno eto dywedodd:

"Blydi watsh 'ma!" cyn ychwanegu, "Pa fath o fiwsig ti'n lecio?"

"Chwe degau."

"A fi!"

Ac am hanner awr dda bu'r ddau yno ar fin y ffordd yn trafod popeth o Mick Jagger i'r Merseybeats, ac o Donavan i Sandie Shaw. Taflwyd potel wag, ac agorwyd yr ail. Ac fe boethai'r sgwrs. Cwestiwn diniwed oedd o i fod.

"Ti isho Kit-Kat cyfan?"

"Mi fasa'n well gen i gael dau fys. 'I hannar o dw i'n 'feddwl!"

Gyda gwên ar ei wyneb fe dorrodd Wang-Ho y Kit-Kat yn ei hanner ac estyn dau o'r pedwar bys iddi.

"Tynna'r papur a dyro fo'n 'y ngheg i."

Yn ufudd, tynnodd y papur arian ac estyn y siocled i'w cheg. Gafaelodd hithau yn ei law tra cnoai'r siocled a'i lyncu.

"Dw i isho fo i gyd! Mae gen ti rywfaint ar dy fysedd."

Yn araf rhoddodd ei ddau fys o yn ei cheg a'u sugno'n

araf. Tynnodd Wang-Ho ei wynt a chlywai rywbeth yn corddi'n ddwfn yn ei ymysgaroedd gydol yr amser roedd Gwenllïan yn sugno'i fysedd ac yn edrych a gwenu arno.

Yna, roedd un o'i bysedd hi yn ei geg yntau. Dau bâr o lygaid wedi cloi yn ei gilydd. Gwyddai'r naill beth oedd ym meddwl y llall. Roedd yna fagnet anweledig yn eu denu. Gwenllïan a siaradodd gyntaf.

"Mi leciwn i wbod be sy'n digwydd y tu ôl i'r llygaid 'na!"

Ac yntau ar fin ailadrodd ei chwestiwn, fe geisiodd Wang-Ho holi'i hun beth uffar oedd yn digwydd iddo? Ai dyma'r profiadau y bu ei deulu mor daer yn edliw iddo nas cafodd? Sut roedd hyn, yn ôl dehongliad Weng-Hi a'i nain, yn mynd i'w gynorthwyo gyda Blodyn Tatws? Ai wedi mopio yr oedd o? Wedi gwirioni, drysu, gwallgofi, ffoli, mwydro, hurtio, dwli? Ie! A pham lai. Roedd hi'n hogan dlos, ac roedd yna rywbeth yn corddi yn ddwfn ynddo, rhywbeth a adnabu yn ddwfn ynddi hithau hefyd. Doedd bosib nad oedd hithau'n teimlo'r un fath amdano yntau? Wel, roedd o wedi addo diwrnod gwahanol iddo'i hun.

"Dw i isho i chdi gofio heddiw am byth!"

"Arclwy'! Be ti am 'neud?"

Go damia! Roedd y llygaid yna'n pefrio eto. Yn ei herio i groesi'r ffin. Ymataliodd.

"Prynu presant i chdi! Tyrd!"

Gafaelodd yn ei llaw a'i chodi ar ei thraed.

"Aros i mi gael y gwin!"

"Bygro'r gwin. Bryna i ragor 'munud."

Ac fe'i hanner tynnodd yn g'lanna chwerthin yn ôl i ganol y dref.

"Aros! Aros, wir Dduw!"

Tynnodd Gwenllïan ei chôt.

"Dw i'n chwysu chwartia!"

Crys tsiec oedd amdani, a hwnnw'n anwesu siâp ei chorff. Gwelai Wang-Ho'r bronnau yn ymwthio o'i blaen ac yn brwydro â'r botymau bychain gwynion. Gan geisio bod yn ddidaro, rhoddodd ei fraich dros ei hysgwydd a'i thywys at y siop emau. Taflodd olwg frysiog ar y modrwyau.

"Reit! Pa un?"

Llyncodd Gwenllïan ei phoer. Modrwyau! Llond ffenest o fodrwyau, o ddwy fil euro hyd at gan mil, ond beth oedd ym meddwl Wang-Ho? Oedd o'n meddwl y gallai ei phrynu hi drwy brynu modrwy iddi? Pan edrychodd arno, roedd o eto'n ffidlan hefo'i watsh.

"Wel? P'run 'ti'n lecio?"

Dyma'i chyfle! Dewis un ddrud, diodde'r diwrnod, a'i gwerthu rywbryd eto! Yna roedd llais Wang-Ho yn dweud yn dawel yn ei chlust:

"Dim ond presant. Paid â meddwl am y fodrwy ond fel presant gen i i ti. Presant malu cachu! Mi gei di ei gwerthu hi'r wsnos nesa os w't ti isho!"

Ac ar unwaith aeth Gwenllïan i deimlo'n euog am ei amau. Beth petai hi'n troi'r byrddau?

"Dewis di!"

"Ti'n lecio rhywbath sydd yn y rhes ucha?"

FFYCIN HEL! Roedd y rheini rhwng chwe deg mil a chan mil! Bron yn gyflog wyth mis!

"Fedra i ddim ..." Cau dy geg y bitsh wirion! Godra fo!

Cafodd ei llusgo i'r siop. Edrychai'r weinyddes yn gegrwth ar Wang-Ho'n gofyn iddi estyn yr astell ddrutaf o fodrwyau ar y cownter. Edrychodd unwaith eto ar y ddau wirion a safai ger ei bron. Roedden nhw wedi meddwi.

"Mi a' i i nôl Mr Roberts"

A diflannodd i'r cefn. Eglurodd i'w bòs am y ddau feddw oedd yn sicr yn ceisio dwyn un o'r modrwyau drud. Cymerodd Josiah Roberts anadl ddofn a chysurodd ei weithwraig.

"Gadewch hyn i mi, Mary!"

Gwisgodd ei wedd ddifrifol a chamodd i'r siop. Pan

ddaeth at y cownter, cuchiodd ar y ddau. Gwenodd Wang-Ho arno.

"Mr Roberts? Sut dach chi erstalwm?"

"Ydw i fod i'ch nabod chi?"

"Roeddach chi'n nabod 'y nhad a nhaid!"

Edrychodd Josiah Roberts eto ar y gŵr oedd o'i flaen. Edrych arno y tro hwn dros ei sbectol, ac o'i gorun i'w sawdl. Roedd hi'n amlwg ei fod o, a'r ferch oedd hefo fo, wedi bod yn yfed, ac eto roedd yna rywbeth ynglŷn â fo a wnaeth iddo oedi cyn ei droi allan o'r siop.

"Pwy oedd dy dad 'lly?" gofynnodd yn sarrug.

"Weng-Hi."

Lledodd gwên lydan, braf dros wyneb Josiah Roberts. Plethodd ei ddwylo o'i flaen.

"A chdi ydi Wang-Ho! 'Wannwyl, toeddat ti 'mond chwech neu saith oed pan welais i chdi ddweutha!"

"Isho modrwy i Miss … Miss …" Bu'n rhaid iddo chwerthin wrth ofyn i Gwenllïan, "Be 'di dy s'nâm di?"

"Charming …"

"Be?"

"… a dw i wedi clywad pob jôc!"

Troes yn ei ôl at Josiah.

"Isho modrwy i Miss Charming."

"A watsh i Mr Ho!" ychwanegodd Gwenllïan.

* * *

Ysgwyd ei ben a wnaeth Ron pan glywodd gloch drws y ffrynt yn diasbedain drwy'r tŷ, a dweud yn dawel wrtho'i hun, "Wang-Ho wedi anghofio'r cod i agor y drws eto! Neu wedi meddwi efallai!" A chwarddodd. Peth diarth iawn fu iddo weld Wang-Ho yn ymlwybro ar ei bedwar am ei lofft. Aeth at y drws a'i agor. John Preis oedd yno, a golwg gyffrous arno.

"Ydi Wang-Ho yma?"

"Nac ydi, Mr Preis. Mae o wedi cymryd diwrnod i fynd am dro. Dydan ni ddim yn ei ddisgwyl adre tan yn hwyr heno."

"Ydi'i ffôn neu'i ddalennwr electronig ganddo?"

"Nac ydi. Ac fe ddywedodd wrtha i'n benodol ei fod o'n gadael y car am y diwrnod."

Gwelodd Ron yr olwg bryderus ar wyneb John Preis.

"Ydi Mrs Hughes yma?"

"Mae hi'n gorffwyso."

Trwy ddrws agored y llyfrgell y tu ôl iddo daeth llais Cedora.

"O nach'di, dydi hi ddim!"

Cywirodd Ron ei hun.

"Nach'di dydi hi ddim! Dowch drwadd."

Dilynodd John Preis ef i'r llyfrgell. Gadawodd Ron yr ystafell gan gau'r drws ar ei ôl.

"Beth sydd mor bwysig na chadwith o ddim tan fory?"

"Wedi cael gair hefo ffrind i mi sy'n gysylltiedig ag adran arbennig o fewn y cyngor sir."

"Rhywbath ynglŷn â'r cwt?"

"Ia. Maen nhw'n trio cadw'r peth yn dawal, ond maen nhw'n bwriadu cynnal *site meeting* yma fory."

"Dydan ni ddim i fod i ga'l rhybudd o beth felly?"

"Hannar diwrnod ydi'r lleiafswm o rybudd, ond maen nhw fel arfar yn rhoi saith."

"Pam y brys?"

"Mae 'na rai cynghorwyr a allai fod yn gefnogol i ni yn mynd i lawr i'r senedd i lobïo'r Ysgrifennydd Addysg. Ddrwg gen i'ch styrbio chi 'Sus Hughes."

Tybed, meddyliodd Cedora wrthi hi'i hun, ai dyma'r amser a'r lle iddi gael sgwrs gyda John Preis? Penderfynodd mai priodol fyddai gwneud hynny gan fod Wang-Ho allan.

"Mi 'rhoswch chi am swpar?"

"Wel ..."

"Mae gen i gymaint dw i isho'i ddweud wrthach chi, ac mae gen i ffafr i'w gofyn."

"Os felly ..."

Canodd Cedora'r gloch oedd ar ystlys ei chadair a daeth Ron i'r ystafell.

"Fe fydd John Preis yn cael swper hefo hi heno, Ron. Ga'n ni ddweud ymhen hanner awr?"

"Iawn, Mrs Hughes."

Wyddai Cedora ddim yn iawn ymhle i gychwyn ar ei sgwrs, ond fel arfer roedd John Preis yn fythol barod.

"Fasa'n well i ni ddechra hefo Blodyn Tatws, Mrs Hughes?"

"Roedd o'n bownd o ddod i wybod am hynny, wn i ddim pam y buon ni mor gyfrinachol ..."

"Roedd rhaid i chi ei amddiffyn o, Mrs Hughes. A chofio am ... am ... yr anhwylder."

"Dydi o'n cofio dim am hynny, cofiwch. Wyth oed oedd o. Mae o wastad wedi meddwl mai mynd ar wyliau roedd o."

"Ac mae o hefyd wedi cael copi o'r adroddiad."

"Be!"

"Roedd o wedi amau bod un mewn bodolaeth, ac roedd o'n amau mai fi oedd yr awdur, felly mi wnes i gopi iddo fo gan ddileu enw'r ysbyty a'r doctor a rhoi fy enw fy hun ar y diwedd."

"Dydi o ddim yn sylweddoli ei fod o'n rhan o'r ymchwil wreiddiol?"

"O nac ydi, ond mae rhai pethau y mae o wedi'u gneud yn ddiweddar – wel, fedra i ddim ond deud eu bod nhw'n wych! Briliant! Mae ganddo fo 'fennydd – os gweddus dweud – lawer siarpach nag oedd gan 'i daid a'i dad!"

"Ffin denau ydi hi, John Preis." Ochneidiodd Cedora Hughes. "Ffin dena' iawn."

"Mi wn i hynny. Dyna pam y bydda i'n trio'i warchod o. Ora' medra i 'ntê?"

"Mae o 'di mynd i ganlyn rhyw ferch heddiw. 'Mond gobeithio y daw honno â fo rywfaint 'dat 'i goed."

Ceisiai John Preis ddadlau â fo'i hun a oedd o'n mynd i bechu'r hen wraig drwy sôn am ei drywydd nesaf. Ond gan ei fod yn grediniol erbyn hyn ei bod hi'n llwyr ymddiried ynddo a'i gonsýrn dros Wang-Ho penderfynodd fwrw iddi.

"Dyna reswm arall yr oeddwn i'n gobeithio ca'l sgwrs breifat hefoch chi."

"O?"

"Mae pob peth dw i wedi'i weld o'i gynllun o yn awgrymu mai ar hon, yr hogan 'ma 'lly, y bydd o'n seilio Blodyn Tatws."

"Ond roeddwn i'n meddwl fod Weng-Hi wedi gosod canllawiau pendant?"

"Mae cynllun Wang-Ho yn llawer mwy uchelgeisiol."

"Be dach chi'n 'feddwl?"

"Hyd y gwela i, yn ôl y cynllunia cynta, ei fwriad ydi clonio'r hogan 'ma."

*   *   *

Cododd Wang-Ho ei fys at ei geg.

"Shshd!"

Ar flaenau'u traed aeth y ddau o ris i ris i fyny'r grisiau nes cyrraedd ystafell Wang-Ho. Wedi gwthio swits y golau taflodd Wang-Ho lygad at y nenfwd ond ni allai weld a oedd y golau coch yn fflachio ai peidio.

"Dw i'n mynd i ga'l gwared o'r dillad gwlyb yma."

Aeth i'w gwpwrdd dillad ac estynnodd grys a throwsus sych iddo'i hun cyn camu at yr ystafell ymolchi.

"Mi ddo i hefo chdi!"

Dilynodd Gwenllïan ef i'r ystafell a gwasgodd yntau switsh y golau.

Eisteddodd Gwenllïan ar erchwyn y bath.

"Wel?"

"Wel be?"

"Ti 'rioed yn shei?"

Dadfachodd fotymau ei grys yn araf, a symudodd at y gawod i droi'r dŵr ymlaen. Trwy gornel ei lygad, gwelodd Gwenllïan yn dal i syllu arno, yn ceisio cadw'i balans ar erchwyn y bath ac yn gwenu fel hogan ddrwg. Taflodd ei grys i gornel yr ystafell, a thynnodd ei drowsus, yna ei sanau, ac yn olaf ei drôns. Safodd o'i blaen.

"Wel?"

Cododd ar ei thraed a daeth ato. Agorodd zip ei chôt, ei thynnu a gadael iddi lithro i'r llawr.

"Arglwydd, sorri!"

Ar hynny, dadfachodd felt ei throwsus, rhedodd at y tŷ bach, gwthio'i throwsus a'i nicer at ei fferau ac eistedd ar y sêt.

"Rhaid i mi biso!"

Wrth chwerthin a throi at y gawod roedd llygaid Wang-Ho wedi crwydro i lawr ei chorff ac wedi sylwi ar y triongl du oedd bron o'r golwg rhwng ei choesau. Camodd i'r gawod a throi ei gefn. Gwthiodd ei ddwylo a'r lwmp o sebon i lawr i waelod ei stumog i guddio'r chwydd oedd yn boenus o amlwg. Caeodd ei lygaid a gadael i'r dŵr cynnes olchi dros ei gorff i gyd.

Ar unwaith, roedd yn ôl ar ben y mynydd a dŵr ymhob man. Dŵr yn ei wallt, dŵr yn ei geg a'i ffroenau, dŵr yn ei glustiau, dŵr yn llifo dros bob rhan o'i gorff. Roedd yn deimlad braf.

Ac roedd heddiw wedi bod yn braf. Dydd di-ofal ar ei hyd – hyd yn oed rŵan fedrai o ddim cofio popeth. Onid oeddan nhw wedi llwyddo i wneud cymaint mewn un diwrnod? A'r cyfan fel pe bai'n arwain yn anorfod at uchafbwynt, a'r naill mor ymwybodol â'r llall beth fyddai hwnnw.

Dechreuodd rwbio'r sebon dan ei geseiliau, ar hyd ei

wddf, i lawr ei stumog a rhwng ei goesau. Dyna pryd y daeth yn ymwybodol o bâr arall o ddwylo yn rhwbio'i gefn. Rhwbio'n ysgafn i ddechrau, yna rhwbio'n gylchoedd oedd yn mynd at ei ysgwyddau, i lawr at ei din ... daeth y breichiau rownd at ei asennau a theimlodd gorff noeth cynnes yn gwasgu'n erbyn ei gefn. Ceisiodd droi, ond roedd y breichiau'n gafael yn dynn amdano a'r dwylo'n symud yn is ac yn is. Gafaelodd ynddyn nhw, a throdd i wynebu Gwenllïan. Roedd y dŵr wedi gwlychu'i gwallt ac wedi'i droi yn gynffonnau bychain gwlybion. Daliai ei ddwylo i afael yn ei dwylo hi. Hi symudodd i ddechrau. Dal i edrych arno tra gwthiai ei ddwylo'n ddigywilydd i lawr ei stumog. Roedd hi'n ei gymell i ddechrau rhwbio. Pan gyrhaeddodd rythm, gollyngodd ei gafael a daeth ei dwylo i afael yn ei ben a thynnu'i wyneb at ei hwyneb hithau. Daliai yntau i rwbio. Fel y dynesai wynebau'r ddau at ei gilydd dechreuodd Gwenllïan symud ei chorff. Symud yn y fath fodd fel y dangosai iddo'i phleser. Ar yr un pryd, symudodd ei llaw dde i lawr ei gorff yntau. Symud i lawr, cyrraedd, a dechrau efelychu symudiadau ei law dde ef.

Mewn chwinciad roedd y ddau wedi dod o'r gawod ac yn ymgodymu ar lawr yr ystafell ymolchi.

Roedd Wang-Ho wedi ymgolli'n llwyr.

Profiad ar ôl profiad newydd a gwefreiddiol, a chorff gwyn glân a siapus Gwenllïan yn gwingo oddi tano un munud, uwch ei ben y munud nesaf. Yn pryfocio'n chwareus ac yn walpio'n galed. Bysedd, gwefus a thafod yn crwydro, weithiau'n ysgafn wefreiddiol, weithiau'n galed benderfynol. A thrwy'r cyfan roedd y llygaid duon yna yn edrych i ddwfn ei lygaid yntau, a rhyw olau rhyfeddol, cyfareddol yn disgleirio fel perlau bychain ynddyn nhw. Cyraeddasai ei nefoedd.

Deffro. Gorweddai'n noeth ar ei wely. Cyn iddo godi'i ben, teimlodd fronnau noethion yn rhwbio'n ei fraich. Daeth pâr o lygaid duon i'r golwg. Cusan ysgafn ar ei wefus cyn i'r gwefusau symud at ei glust.

"Ti 'di bod yn cysgu am hanner awr!"

"Wedi meddwi dw i?"

"Pam?"

"Cur pen!"

" 'Dan ni wedi yfed pedwar litr o win!"

"A byta Kit-Kats!"

Cododd Gwenllïan ac aeth am yr ystafell ymolchi. Gwyliodd Wang-Ho hi'n cerdded. Pan ddychwelodd roedd ei chôt ganddi. Aeth i'r boced frest ac estyn bocs bychan gloyw.

" 'Ti isho sbliff?"

"Be?"

"Smôc"

"Dw i 'rioed 'di smocio."

"Ma'r rhein yn sbeshal. Baco o Morocco!"

Ai am ei fod awydd ei phlesio y derbyniodd ei chynnig? Ni wyddai Wang-Ho. Fe roddodd Gwenllïan sigarét yn ei geg a'i thanio. Sugnodd Wang-Ho, a llyncodd.

"Paid â llyncu'r mwg fel 'na'r llymbar gwirion! Fel hyn, sbia?"

Tynnodd Gwenllïan y sigarét o'i geg. Chwythodd arni i loywi'i blaen cyn ei rhoi rhwng ei gwefusau. Yna tynnodd anadl ddofn a'i dal. Yn araf gollyngodd y mwg drwy'i thrwyn a'i cheg. Caeodd ei llygaid a thaflodd ei phen yn ôl.

"Hmmmm!"

Estynnodd y sigarét yn ôl i Wang-Ho, ac efelychodd yntau bob symudiad o'i heiddo hyd at yr "Hmmmm."

Yn sydyn roedd y nenfwd uwch ei ben o dan ei draed, a'r carped ar y nenfwd. Gwibiai goleuadau llachar heibio i'w wyneb cyn toddi'n fflachiadau melyn. Cerddai Wang-Ho a Gwenllïan drwy haen o darth lledrithiol. Roedden nhw'n cerdded ar y cymylau a'u traed yn suddo i'r gwynder meddal. Crymanodd braich feddal rownd ei wddf a gafaelodd ei fraich yntau am wasg noeth. Cerdded, martsio, sgipio, dawnsio yn eu blaenau. Pigau'r mynyddoedd o'u blaenau a Heng-Go a Wing-Ha yn eu cymell. Tarth yn chwalu, nhwythau ar ffordd lydan, braf a Weng-Hi yn eu hwrjio i redeg. Rhedeg law yn llaw dan chwerthin. Rhedeg nes baglu. Syrthio. Codi. Carped melfed o rosys cochion yn arwain at y cwt sinc, a Nain Cedora yn sefyll wrth y drws a gwên ddieflig ar ei hwyneb. Wynebau. Heng-Go, Wing-Ha, Weng-Hi a Nain Cedora. Pedwar wyneb yn closio. Closio a thoddi'n un wyneb. Wyneb Gwenllïan. Wyneb Blodyn Tatws.

Blodyn Tatws! Chwiliodd ei gof am y cwestiynau.

"Faint wyt ti'n pwyso?"

Chwarddodd Gwenllïan. Iesu o'r Sowth roedd Wang-Ho yn ddyn od. Ai od oedd y gair iawn? Gwahanol, efallai?

"Pa fath o gwestiwn 'di hwnna?"

"Dw i isho gwbod pob dim amdana chdi, Blodyn." Pwysleisiodd y gair olaf.

"Reit! Gei di atab am bob drag gym'ri di."

Drag.

"Faint wyt ti'n pwyso, Blodyn?"

"Chwe deg un kilogram."

"Faint ydi dy daldra di, Blodyn?"

Drag.

"Cant chwe deg pump."

"Be ydi dy fesuriada di, Blodyn?"

Drag.

"36-28-38 – mewn modfeddi!"

"Ble ti'n cysgu heno, Blodyn?"

Drag.

"Hefo chdi."

Gafaelodd Wang-Ho yn y sigarét. Cododd ac aeth i'r ystafell ymolchi a'i thaflu i'r sinc. Pan ddychwelodd roedd Gwenllïan wedi mynd i guddio o dan ddillad y gwely. Llithrodd dan y dillad ac ati. Plethodd ei llaw yn ei law a daeth ei hwyneb yn nes at ei wyneb yntau. Yna, roedd ei law yn cael ei gwthio dan ei ddillad ac yntau'n anwesu'i bronnau llawnion. Tafod poeth yn ei glust. Geiriau bychain annealladwy. Gwefus yn cyffwrdd gwefus, ac amser yn sefyll yn stond.

Doedd o ddim eisiau cysgu. Roedd am i'r noson hon barhau am byth. Un munud roedd hi'n gwingo oddi tano, y munud nesaf roedd ei thafod poeth yn gyrru iasau i'w ymysgaroedd dyfnaf. Sawl gwaith y ffrwydrodd gan bleser ni chofiai, ac ni chofiai ychwaith pa bryd y syrthiodd i drwmgwsg.

Un funud roedd hi'n sibrwd geiriau annealladwy yn dawel yn ei glust, y funud nesaf roedd hi'n bloeddio "Caru! Caru! Caru!" yn wyllt wallgof ac yntau'n mynd a dod rhwng cwsg ac effro. A thrwy'r cyfan, uwchlaw golau'r lamp yn y nenfwd, roedd disgen y camera fideo yn cofnodi pob un symudiad a phob sill.

* * *

Wrth ddadebru'n araf a chofio, fe sylweddolodd ei fod yn ei wely ar ei ben ei hun bach. Edrychodd o'i amgylch, clustfeiniodd rhag ofn y clywai sŵn yn dod o'r tŷ bach, ond doedd dim smic i'w glywed. Rhaid bod Gwenllian wedi deffro ac wedi mynd. Ceisiodd ail-fyw'r noson, ond doedd o'n cofio fawr ddim ond yr uchafbwyntiau. Eto, roedd o'n cofio un peth. Sgwennu! A hynny ar ddarn o bapur tŷ bach.

Cododd ar ei eistedd a syrthio yn ei ôl yn syth. Roedd dyn bach hefo morthwyl yn cnocio yn ei ben. Sgwennu beth? Ymbalfalodd ger erchwyn y gwely. Cododd y darn papur a cheisiodd ddarllen y sgribl oedd arno. Darllenodd '61, 165, 36-28-38'.

Ar ei bedwar aeth i'r ystafell ymolchi. Cropiodd at y gawod, yna ymbalfalu i fyny'r wal nes cyrraedd y botwm dŵr. Bu'n socian dan y dŵr cynnes am gryn chwarter awr, cyn troi'r gawod yn ddŵr oer. Dioddefodd yn dawel gan gau'i lygaid yn dynn. Byddai'n rhaid iddo fod o gwmpas ei bethau heddiw. Onid oedd ganddo waith i'w wneud? Gwrando a gwylio disgiau fideo'r ystafell wely a'r ystafell ymolchi. Ail-fyw pen ola'r diwrnod rhyfeddaf iddo'i dreulio erioed.

Meddyliodd am Gwenllïan wrth sychu'i hun â'r lliain cras ac roedd yn union fel petai'r don yna o gynhesrwydd yn llifo drosto unwaith eto. Ond ni theimlai owns o euogrwydd.

Tybed?

Pennod 7

NI WASTRAFFODD WANG-HO yr un eiliad. Ar ôl codi dechreuodd addasu a chwblhau'i gynlluniau terfynol ar gyfer creu Blodyn Tatws.

Penderfynasai eisoes mai gwaith John Preis a'i dîm yn labordy'r ffatri fyddai creu'r corff, ac i'r perwyl hwnnw fe fyddai'n llwytho'r lluniau fideo ac ystadegau Gwenllïan i grombil NESTA i greu cynllun manwl o'r corff. Byddai'n creu'r pen a'r cof ei hun.

Gosododd y camera fideo a'r microffon ar ganol llawr ei ystafell wely. Yn union o'u blaen gosododd y gadair fawr ledr. Pan gyrhaeddodd Ron yn tywys Brian Hughes roedd popeth yn barod yn ei le.

"Dw i isho rhywbeth yn debyg i'r hyn a ysgrifennodd John Preis arnach chi, ond y tro yma fe fydd o ar fideo."

"Gobeithio y medra i 'neud yn iawn!"

"Mi fydda i'n gofyn cwestiynau i chi, ond peidiwch â dal dim yn ôl. Ma'n rhaid i mi gael yr holl deimladau a'r holl emosiynau ar dâp – yn naturiol fe eglurodd John Preis am y cyfrinachedd, a'r taliad?."

"Do! Pob dim yn iawn."

Am awr gron gyfan bu Wang-Ho'n holi Brian Hughes o'r rhes hir o gwestiynau a baratoesai ymlaen llaw. Cyndyn iawn fu Brian i ymlacio. Roedd fel petai'n ymwybodol o bresenoldeb y camera a'r microffon, ond fe setlodd ymhen deng munud.

Ar un adeg tybiai iddo'i holi'n rhy galed am farwolaeth ei fam. Bu'n ystyried rhoi'r gorau iddi gan i Brian ar un adeg dorri i lawr yn llwyr, ond gwyddai Wang-Ho mai dyma'r eithafiaeth yr oedd yn rhaid ei chael yng nghof Blodyn Tatws. Os mewnbwnio emosiwn, yna emosiwn go iawn amdani.

Doedd hyder yn sicr ddim yn un o broblemau Elain Lloyd! Eglurodd Wang-Ho iddi hithau, yn union fel ag y gwnaethai gyda Brian, beth oedd pwrpas yr ymarferiad.

"Gewch chi'r *gory details* i gyd!" addawodd hi.

Ac fe'u cafodd. Bron yn ddigymell. Siaradai Elain yn ddi-baid ac ychydig iawn o gwestiynau y bu'n rhaid i Wang-Ho eu gofyn. Wrth wrando arni, ni fedrai Wang-Ho beidio â chael ei gyffroi gan ei geiriau, ei disgrifiadau a'i symudiadau. Bu'n awr a thri chwarter o berfformiad erotig, a fedrai Wang-Ho, ac yntau'n eistedd gerbron Elain, wneud yr un dim i gelu'i gyffro. Roedd hynny'n boenus o amlwg.

"Fe fuodd hynna'n brofiad!" oedd yr unig eiriau y medrai eu dweud wrthi ar y diwedd.

"Ac i finna," atebodd hithau, a'i llygaid yn pefrio.

Roedd hi fel petai'n oedi cyn gadael, ac fe ruthrodd pob math o ddarluniau drwy ddychymyg Wang-Ho. Torrwyd ar draws y rheini pan gyneuodd sgrin y ffôn. John Preis oedd yno.

"Mae yna swyddog o'r cyngor isho gair hefo chi am y cwt. Mr Gareth Gwyn."

"Dw i'n rhy brysur bora 'ma. Dwedwch 'mod i mewn cyfarfod. Mi ffonia i o'n ôl pnawn 'ma."

Prysur! Oedd, fe roedd o'n rhy brysur y bore 'ma! Hyd yn oed i ... Gwenodd ar Elain.

"Diolch yn fawr. Dw i'n siŵr y bydd hyn yn werthfawr iawn i'r ymchwil. Fasach chi'n deud wrth John Preis y bydd manylion terfynol y corff ganddo fo cyn cinio? Mi gewch chi gychwyn arni'r pnawn 'ma wedyn."

Ochneidiodd ei ryddhad pan gaeodd y drws ar ei hôl. Cododd ei ddwylo i'w wyneb a rhwbio'i lygaid. Oedd, roedd o wedi cael ei amddifadu o rai profiadau yn ystod ei lencyndod!

Cyn cinio, roedd ganddo broffil tri dimensiwn o'r corff cyfan ar ddisg, ac wedi anfon hwnnw i lawr i'r ffatri, fe wyddai y byddai John Preis yn cychwyn arno'n syth. Canolbwyntiodd Wang-Ho ar ei waith yntau. Gyda chymorth NESTA ni chredai y cymerai'r gwaith adeiladu fwy na deuddydd – dim ond i'r defnyddiau i gyd gyrraedd mewn pryd!

Yr unig beth i darfu arno cyn amser cinio fu ymweliad gan Parri.

"Rhaid i mi roi dwy shît newydd ar y to 'ma heddiw neu fe fydd dy gompiwtar di'n un slwtsh o ddŵr y gafod nesa gawn ni!"

"Ydi hynny ddim yn wastraff? A ninnau'n ei adnewyddu o?"

"Joban temp'ri fydd hi, ond ..." Pwyntiodd Parri at y to. Pan edrychodd Wang-Ho i fyny gallai weld ychydig o awyr las.

"Iawn."

" 'Runig beth arall fydd rhaid i mi 'i 'neud yn y dyddia nesa fydd dod â mesurydd laser i weld pa mor bell ma'r rhwd wedi cydiad yn y cilbyst."

"Pryd fydd hynny? Mae'n wallgo 'ma'r wsnos yma."

"Fedra i ddim rhoi *spec* llawn i chdi heb 'i 'neud o."

"Fedri di 'i 'neud o rŵan?"

"Dw i 'di addo cwarfod rhywun yn y Groat dros ginio. Y shitia 'ma dw i'n 'u gosod, mi hoelia i nhw ar ben y rhai sy 'na rŵan – neu fe fydd yna lwch ar y diawl os tynna i'r hen rai."

Ac i gyfeiliant synau a chnocio morthwyl pneumatig Parri y bu Wang-Ho'n ceisio gweithio yn ystod yr awr nesaf. Yn ddiweddarach, aeth Wang-Ho allan gyda Parri i astudio'r darn newydd o'r to. O'i gymharu â gweddill y to, sgleiniai'r shitiau newydd yn yr haul.

"Ma' 'na uffar o fiw o ben y to 'na!"

"Eryri yn ei gogoniant."

" 'Cynefin y carlwm a'r cadno, a Hendref yr *hedgehog* a'i ryw'. Felly y bydda Robin Parri'n arfar 'i hadrodd hi!"

Chwerthin a wnaeth Wang-Ho. Er cased ganddo unrhyw beth a fyddai'n tarfu ar ei waith, roedd dyfodiad Parri fel chwa o awyr iach.

* * *

Pwysodd Gwenllïan ei phen ar ei dwylo ac edrych yn freuddwydiol y tu hwnt i'r bar a thrwy ffenestr y Groat. Yno yn rhywle, draw y tu hwnt i'r coed, roedd Wang-Ho. Ei Wang-Ho hi! O leiaf fe fuodd yn eiddo iddi hi am un diwrnod cyfan. Roedd wedi ail-fyw pob eiliad o'r diwrnod ac yn ceisio dychmygu tybed sut un fyddai Wang-Ho i fyw hefo fo weddill ei bywyd? Oedd o'n teimlo'r un fath tuag ati hi?

Yn ddiarwybod iddi hi'i hun roedd hi wedi dechrau chwarae hefo'r fodrwy oedd ar ei bys, ac yn ei throi rownd a rownd. Edrychodd arni am y canfed tro. Roedd yn anodd coelio ei bod yn berchen ar fodrwy mor ddrud. Ond beth oedd gwerth pres i ddyn fel Wang-Ho? Dim! Roedd yn union fel petai *hi* yn prynu diod i un o'i ffrindiau. Roedd wedi disgwyl y byddai wedi cysylltu â hi yn ystod y dydd, ond ddaeth dim gair o gwbl.

Y cnocio ar y drws a ddaeth â hi'n ôl i'r presennol. Edrychodd ar y cloc – dylai fod wedi agor ers deng munud!

"Parri!"

"Cym on! Be sy matar arna chdi?" Ac edrychodd ar ei oriawr. Pan droes Gwenllïan oddi wrtho i ddychwelyd at y bar, gafaelodd yn ei braich. "Ty'd yma, blodyn!"

Gwthiodd ef oddi wrthi.

"Paid!" Fe ddywedodd hynny'n rhy siarp.

"Be sy?"

" 'Im byd."

"Wel, ty'd â pheint i mi 'ta. Fedri di 'm gwrthod hynny?"

Estynnodd Gwenllïan un o'r gwydrau a thynnu peint iddo.

"Ma'r Wang-Ho 'na'n gneud rh'wbath rhyfadd yn yr Henblas."

"Be ti'n 'feddwl?"

"Newydd fod yno'n gosod shitia sinc newydd ar do'r hen gwt, a fedrwn i 'm peidio sylwi. O'dd o'n gweithio ar ryw lun o ben dynas, a honno'n llawn weiars."

"Dyna'i waith o 'ndê? Gneud petha fel 'na 'di waith o."

"Ma' 'na r'wbath yn od yn'o fo 'sti."

"Rhywbath yn od ynon ni i gyd, 'ntoes?"

Bu distawrwydd annifyr am ennyd. Yr un o'r ddau yn gwybod yn iawn beth i'w ddweud nesaf.

Roedd Gwenllïan, rywsut, eisiau dweud ei newyddion wrth Parri, a Parri yntau wedi synhwyro nad oedd petha fel y dylian nhw fod rhwng y ddau pan gyrhaeddodd. Y fo oedd y cynta i fentro.

"Pryd ga i dy weld di eto?"

Ei thawedogrwydd oedd ei hateb.

"Gwenllïan?"

"Ella y basa'n well i ni gwlio petha am 'chydig."

"Howld on! Be dw i wedi'i 'neud?"

"Dim byd, Parri, dwyt ti ddim wedi gneud dim byd. Jyst wedi bod yn meddwl am betha dw i."

"Sbia arna i."

Cododd Gwenllïan ei golygon ac edrych arno. Ar hynny, agorodd y drws a daeth dau gwsmer i mewn. Troes Gwenllïan oddi wrth Parri, a chan wisgo gwên ar ei hwyneb gofynnodd, "Be gym'rwch chi?"

"Dau wisgi bach."

Er na chymerodd arni ei bod yn eu hadnabod, gwyddai Gwenllïan mai swyddogion y cyngor sir oedd y ddau. Cariai'r ddau ffolderi duon, ac roedd logo'r cyngor yn amlwg ar y ddwy.

Wedi gosod y diodydd ar y bar o'u blaenau, a derbyn y tâl, troes Gwenllïan ei chefn arnynt a dechrau rhoi trefn ar y gwydrau. Ar yr un pryd roedd hi'n hanner gwrando ar eu sgwrs.

"Be wnân nhw?"

"Fydd gynno fo ddim tsians. Mae Ellis B. â'i gyllall yno fo."

"Gynno fonta ffrindia?"

" 'Di o 'm byd tebyg i'w daid na'i dad."

"A'n i i ista?"

"Ia, pam lai."

A dyna'r olaf a glywodd Gwenllïan. Aeth y ddau i gornel yr ystafell y tu hwnt i'w chlyw.

"Peint arall plis!" Diamynedd yn hytrach na blin oedd y llais.

Yn beiriannol cymerodd Gwenllïan wydr Parri oddi arno a'i ail-lenwi. Oedd hi'n mynd i ddweud wrtho? Arhosodd yn ei ymyl wedi estyn y peint iddo a dywedodd mewn llais isel. "Wa'th i chdi ga'l gwbod, ddim. Dw i 'di dechra gweld rhywun arall."

"Finna'n meddwl fod gynnon ni rywbath sbeshal …"

"Gin *ti* rywbath sbeshal ti'n 'feddwl! Dwy ddynas!"

"Mi fedri ditha ga'l dau ddyn!"

"Nid fel 'na dw i'n gweld petha, Parri."

"Fel 'na ti 'di gweld hi ers chwe mis!"

"Gwirion fuon ni 'ndê? A gwbod o'r dechra, tra oeddat ti'n dal yn briod, nad oedd 'na ddyfodol i ni."

I gael amser i feddwl yn hytrach na'r un rheswm arall, cymerodd Parri ddracht hir o'i ddiod. Petai'n onest, fe fyddai'n cyfaddef iddo fanteisio ar y berthynas i gael y gorau o ddau fyd.

"Nid caru hefo'n gilydd ydan ni Parri, ond iwsho'n gilydd. A phetai Lowri'n ffendio …"

"Gad Lowri allan o hyn!"

"Fedri di ddim! Fedrwn ni ddim!"

Ar hynny cododd un o'r gwŷr o'r gornel ac archebu dwy ddiod arall. Symudodd Gwenllïan oddi wrth Parri ac estyn gwydrau glân. Agorodd y drws, a cherddodd rhagor o ddynion i mewn.

"Jason! Be gym'ri di?"

Edrychodd hwnnw ar ei wats.

"Dach chi'n byta 'ma?"

"Waeth i ni hynny ddim. Dydan ni ddim fod yno tan dri."

* * *

Cawsai Wang-Ho ailbrofi'i gynyrfiadau wrth fewnbwnio tapiau fideo a sain Brian ac Elain i gof NESTA. Ceisiodd roi'r cyfan o'i feddwl, gan fod ganddo gymaint o waith i'w gyflawni. Ond mynnu dychwelyd a wnâi darnau helaeth o brofiadau Elain.

"NESTA! Fydd hi'n broblem atgynhyrchu organau mewnol ar gyfer Blodyn Tatws?"

"Negyddol, Wang-Ho. Y ffordd rwyddaf fydd archebu rhai delweddol rithwir o storfa ryngwladol y Groes Goch yn y Swistir. Fe fyddan nhw'n ddrud, ond maen nhw'n gwarantu y byddan nhw mewn unrhyw wlad yn y byd o fewn pedair awr ar hugain."

"NESTA, dim ots am y gost. Gan na fydd Blodyn Tatws yn bwyta nac yn yfed fydd dim angen yr organau hynny, ac fe allwn ni hefyd hepgor y groth ..."

"Ond fydd Blodyn Tatws ddim yn ferch os na chynhwysir organau atgynhyrchu."

"Fydd dim lle iddyn nhw, NESTA. Dydw i ddim yn mynd i roi Blodyn Tatws ar blatfform symudol. Fe fydd rhaid i'r cyfan ffitio y tu mewn i'w chorff o feinwe, ac fe fydd yna drwch dau filimetr o ultra-silicon yn union o dan y meinwe."

"Ai Wang-Ho fydd yn gyfrifol am y cydosodiad?"

"Nage. John Preis, Elain Lloyd a Brian Hughes. Y pen a'r cof fydd fy mhriod waith i."

"Ydi Wang-Ho yn dymuno i NESTA archebu'r defnyddiau."

"Ydw. A rho gynllun o'r gwaith ar gyfrifiadur John Preis. Fe gaiff o ddechrau ar y corff mor fuan â phosib."

"Cadarnhaol, Wang-Ho."

Arhosodd Wang-Ho nes iddo glywed y disgiau yn dechrau chwyrlïo yng nghrombil NESTA a gwyddai'n syth y byddai'r darnau ar eu ffordd o'r Swistir o fewn ychydig funudau, ac y byddai cynllun terfynol corff Blodyn Tatws gyda John Preis cyn pen hanner awr.

Pan ddychwelodd Wang-Ho i'r Henblas amser cinio roedd Nain Cedora yn y llyfrgell hefo John Preis. Holai'r hen wraig y rheolwr yn dwll.

"A'r gwerthiant?"

"Ar i fyny fymryn y mis yma. Ond mae'n debyg mai i lawr yr aiff o am ddau fis, nes bydd y prosiect newydd 'ma yn taro'r farchnad."

Troes Cedora at Wang-Ho.

"Be w't ti wedi'i 'neud am y cwt?"

"Dw i wedi sgwennu llythyr at y cyngor yn gwrth-wynebu'r bwriad, ac yn deud y byddwn ni yn ei drwsio."

"Fe ddeudodd John Preis 'ma fod yna rywun wedi trio ca'l gafael ynat ti'r bora 'ma, a dy fod ti wedi gwrthod siarad hefo fo."

Doedd gan John Preis ddim busnes dweud pethau o'r fath wrth ei nain, ond gwyddai Wang-Ho am ddulliau perswadiol yr hen wraig wrth holi a stilio.

"Nid gwrthod siarad a wnaeth o, Mrs Hughes – mewn cyfarfod roedd o." Ceisiodd John Preis achub ei gam ei hun yn ogystal â Wang-Ho.

"Ffonia fo. Rŵan!"

"Nain!"

"Cofia di be fydda dy daid yn arfar 'i ddeud! Nid taro'r haearn tra bo'n boeth sydd isho, ond gneud yr haearn yn boeth drwy daro! Ffonia!"

Troes Wang-Ho at John Preis.

"Dach chi'n cofio beth oedd ei enw fo?"

"Gareth Gwyn."

Pwysodd Wang-Ho fotwm sgrin y ffôn. Sgroliodd drwy'r cyfeiriadur a phwysodd ei fys gyferbyn â rhif y cyngor.

"Ga i siarad hefo Gareth Gwyn, os gwelwch yn dda?"

"Pwy sy'n galw?"

"Wang-Ho."

"Un eiliad."

"Gareth Gwyn!"

"Wang-Ho o'r Henblas."

"Isho dweud wrthach chi am y *site meeting* roeddwn i."

"Be?"

"Penderfyniad y swyddogion oedd cynnal *site meeting*."

"Ond ma'r gwaith wedi'i ddechra!"

"Dyna benderfyniad y cyngor."

"Os na fydd y cwt yn beryglus, be 'di'r pwrpas?"

"*Site meeting*. Dyna'r penderfyniad."

Doedd dim twsu na thagu ar y swyddog ar y ffôn. Cyn dod i benderfyniad terfynol ynglŷn â dyfodol y cwt, roedd yna grŵp o gynghorwyr wedi penderfynu bod angen ymweld â'r safle. Ac roedden nhw'n dod y prynhawn hwnnw.

"Dydach chi ddim yn rhoi llawer o rybudd, nac'dach?"

"Petaech chi wedi siarad hefo fi'r bora 'ma, mi fasech yn gwbod yn gynt. Does gynnoch chi ddim gwrth-wynebiad, nac oes?"

Roedd y min oedd ar ei frawddeg gyntaf wedi troi'n rhybudd awdurdodol, swyddogol yn ei gwestiwn olaf. Penderfynodd Wang-Ho y byddai'n chwarae'r un gêm.

"Dim gwrthwynebiad o gwbl, Mr Gwyn. Fyddwch chi angen mynd i'r cwt?"

"Byddwn, wrth reswm!"

"A faint sy'n dod?"

"Pymtheg. Deg cynghorydd, pedwar swyddog a finna."

"Gan fod 'na ddefnyddiau ymbelydrol ar y seit, mi fyddwch wedi rhybuddio'r ymwelwyr y bydd angen dillad i safon diogelwch SPQ4?"

Bu Gareth Gwyn yn ddistaw am ennyd.

"Oes gennych chi ddillad o'r fath?"

"Oes, wrth reswm, ond mae canllawiau ein trwydded yn mynnu fod pob ymwelydd yn cael cawod ddiheintio cyn ac ar ôl gwisgo'r dillad. Ac fe fydd angen diheintio'r dillad ymlaen llaw. Faint ddeudoch chi oedd yn dod?"

"Faint o amser mae hyn yn mynd i'w gymryd?"

"Yn ôl rheolau eich cyngor chi, Mr Gwyn, mae angen hanner awr ar bob siwt yn y caban diheintio. Mi fyddwn ni wedi diheintio'r siwtiau mewn rhyw ... deirawr?"

"Ond ..."

"Taswn i ond yn gwbod yn gynt." A phwysleisiodd bob un gair. "Ond ma'n rhaid i minna ddilyn y rheolau."

"Ga i'ch ffonio chi'n ôl?"

"Â chroeso!"

Diffoddodd y sgrin. Ysgwyd ei phen a wnaeth Cedora.

"Titha'n fab i dy dad 'fyd!"

"Y cythral bach yn lluchio'i bwysa."

"Be 'dan ni'n mynd i'w 'neud?"

"Fedrwn ni mo'u rhwystro nhw."

"'Drycha y tu hwnt i hynny! Ma'n amlwg fod y diawlad yn dod yma wedi penderfynu'n barod be fydd eu cam nesa. Rybyr stamp a mynd trw'r mosiwns ydi dod yma."

"Fe soniodd John Preis am y Seneddwr Puw ..."

"Wedi clywad roeddwn i y bydd y Pwyllgor Addysg yn pwyso'n daer ar Puw i ychwanegu at eu cyllideb, a meddwl, o gofio am gyfeillgarwch Mr Puw hefo Weng-Hi ..."

"Ma' hynny'n rhy gymhleth. Ac fe fasa'n rhaid i Puw droedio'n ofalus. Fe fasa rhywun yn siŵr o weld y cysylltiad. Mae 'na ffordd haws o lawar." A dechreuodd yr hen wraig gecian.

"Wel, 'dan ni'n ca'l gwbod?"

"Chwaraea di dy ran yn mynd trw'r mosiwns hefo'r cyngor. Fasa hi ddim yn syniad drwg i ti fynd i'r Senedd-dŷ ym Machynlleth i gwarfod rhai o hen ffrindia dy daid a dy dad 'chwaith."

Roedd hi'n amlwg fod gan Cedora syniad penodol am y ffordd ymlaen, ond doedd hi ddim am rannu'r syniad hwnnw y prynhawn hwn.

Goleuodd sgrin y ffôn.

"Neges i Wang-Ho."

"Wang-Ho yma."

"Neges oddi wrth Mr Gareth Gwyn, o'r cyngor sir."

"Doedd o ddim isho siarad hefo fi?"

"Nac oedd. Jyst dweud fod yr ymweliad wedi'i ohirio am dridiau, ac mae o'n gofyn yn garedig a fyddai'n bosib i chi ddarparu siwtiau ar gyfer pymtheg ymwelydd. Fe fyddan nhw yma am ddau o'r gloch ddydd Iau."

"Iawn!"

Gwenodd y tri yn y llyfrgell ar ei gilydd.

"Ma'r bêl yn eich cwrt chi rŵan, Nain."

"Cerwch o 'ma rŵan, i mi ga'l llonydd!"

Winciodd Wang-Ho ar John Preis ac amneidiodd â'i ben. Aeth y ddau allan.

"Be ma' hi'n bwriadu'i wneud?" Dyna oedd cwestiwn cyntaf John Preis wedi iddyn nhw adael y llyfrgell.

"Duw a ŵyr! Duw a Nain!"

* * *

Tempar fain iawn oedd ar Parri yn gadael y Groat. A hithau'n ddydd Llun roedd wedi gobeithio mai ychydig o bobl fyddai yno, ac y câi o gyfle i wneud trefniadau hefo Gwenllïan. A rŵan roedd pethau ar fin chwalu. Pwy gythral oedd hi'n 'weld? Ond oedd o'n fusnes iddo mewn gwirionedd? Beth oedd ei geiriau hi. 'Iwshio'n gilydd ydan ni'. Oni ddylai o fod wedi sylweddoli na allai hyn barhau? A doedd o ddim wedi paratoi'i hun o gwbl. Doedd ganddo ddim cydwybod o gwbl ynglŷn â bod yn anffyddlon i Lowri. Roedd eu perthynas nhw wedi hen oeri. Mynd trwy'r mosiwns o fyw hefo'i gilydd roeddan nhw, ond roedd Gwenllïan wedi dod â sbarc newydd i'w fywyd. Oedd o'n fodlon cymryd y cam o adael Lowri? Nac oedd! Ceisiodd ddychmygu canlyniadau hynny. Arswydodd.

Cyn cychwyn yn ei ôl i'r Henblas, gwnaeth yn siŵr fod ei fesurydd laser yng nghefn y fan, a cheisiodd ganolbwyntio ar y gwaith oedd o'i flaen.

Serch hynny, Gwenllïan oedd ym mlaen ei feddwl wrth iddo agor drws y cwt a chamu iddo. Fferrodd. Ddim eto! Roedd yna ysbryd arall yn hofran ger y drws. Ac un gwahanol y tro hwn. Teimlai'r nerth yn cael ei sugno o'i holl gorff. Roedd rhaid iddo ddianc. Ond i ble? A sut? Onid oedd ei ddwy droed fel petaen nhw wedi'u gosod mewn esgidiau concrid?

Gwyrodd ymlaen a cheisio canolbwyntio ar ddianc, ond fedrai o yn ei fyw symud. Gweld y fan a wnaeth Wang-Ho, a sylweddoli bod Parri yn ei ôl. Newydd adael y cwt yr oedd o ac yn cerdded tua'r Henblas. Beth wnâi o? Dychwelyd? Pam lai. O leia mi gâi lonydd am sbelan wedyn.

Daeth Parri yn ymwybodol o lais.

"Parri! Be sy?"

Gafaelodd Wang-Ho yn ei fraich a'i dywys allan. Bu Parri am beth amser yn dadebru.

" 'Sa'n well i chdi ga'l contractor arall i 'neud y blydi cwt 'ma!"

"Pam?"

"Ma' 'na r'wbath arall yna rŵan."

"Be ti'n 'feddwl?"

"Ysbryd arall. Un gwahanol!"

"Ym mha ffordd mae o'n wahanol?"

"Nid y fo, HI!"

"Dynas ti'n 'feddwl?"

"Sgin ti ddiod? Wisgi!"

Aeth Wang-Ho i'r cwt. Safodd am ennyd ger y drws, ond ni chlywai ac ni theimlai ddim yn wahanol i'r arfer. Aeth i gwpwrdd yng nghornel y cwt ac estynnodd botelaid o wisgi a dau wydr. Tywalltodd ddau wydraid helaeth ac aeth allan a rhoi un i Parri. Edrychodd hwnnw ar Wang-Ho yn syn.

"Ers pryd w't ti ar y wisgi?"

"Newydd ddechra."

Ysgydwodd Parri ei ben a chymryd llowciad.

"Ochneidio! 'Di hi'n gneud yr un dim ond ochneidio a galarnadu. A tydi'r geiria'n gneud dim sens. Fath â barddoniaeth gachu."

"Dw i'm yn dallt, Parri."

Wrth iddo godi'i ddiod at ei wefusau, dechreuodd Parri grynu i gyd.

"O uffern! Mae hi yma rŵan!"

"Parri!"

Ond roedd Parri mewn arall fyd. Disgynnodd ei wydraid o wisgi i'r llawr, gorweddodd ar ei gefn a chan wingo dechreuodd lafarganu:

" 'Ma' llunia o'n caru yn glir yn fy ngho, a finna yn wastio yr haul wrth grio ar glustog a chynfas fan hyn'."

Gwthiodd Wang-Ho'r botwm recordio ar ei oriawr a daliodd hi wrth geg Parri tra llefarai.

" 'Ma'r canwr a'i gân ar goll yn y nadu a'r sŵn, a'r botal Sambucca yn agor hen graith wrth g'nesu yn wag rhwng fy llaw a fy mronna. Mae atgo'r cyrff llonydd yn dal yn fy mhen a gwefr dy wefusau yn crwydro a sugno wrth ddawnsio hyd ffinia fy nghroen.

'Dw i'n gwingo dan ddyrna a bysadd a choesa ac estyn fy mhoen i drugaredd y bora. Ma' 'na fand rhyw Ffiwsilwyr yn gorddio fy mhen wrth i mi fwydro a ffwndro am garu a

138

chariad, a'r holl bethau hyn dw i'n 'u credu am gariad, a gwirionadd, a ti a fi, a'r unig wirionadd go iawn yw mai ti dw i'n 'i garu.

'Ges i orfadd fel hyn ar wely o blu, a deffro ar wely o hoelion, a'r rheini yn pwnio pob awr yn dy gwmni yn boenus i 'nghof. A gneud i mi sibrwd mai ti ddaru dalu'r dimeia a finna y pridwerth, a thitha yn chwerthin yn iach ac yn orffwyll yn fodlon dy fyd.

'Mi ga i rŵan orffwyso fy ll'gada am byth, a chei ditha fyth wbod 'mod i'n meddwl cyn gymint amdanat wrth i'th feistras di gamu i'r golau a dwyn dy gynhesrwydd. Chei di 'm gwbod am enaid na 'wyllys, cydwybod na theimlad – am mai ti 'di'r dieithryn esgymun yn honco'n dy fyd bach dy hun.

'A heno, os bydda i'n oeri fy hunan, ni fydda i fyth bythoedd yn unig, am fod gen i gof a chariad ac angerdd a'r holl betha hynny sy'n gneud i'm calon i guro a chnocio a dyrnu a cholbio ar ras.

'Does gen i ddim pellach i'w ddangos na'i brofi, am mai ti oedd y gannwyll a fi oedd y fflam a ti oedd yn ysu am fy nghario a cherdded yn droednoeth i'r storm'."

Llonyddodd Parri, a gorwedd yn ddisymud ar y llawr. Saethodd panig i galon Wang-Ho a phenliniodd wrth ei ymyl.

"Parri! Parri! Wyt ti'n iawn?"

Agorodd y llygaid. Ond roedd yna ryw bellter yn dal ynddyn nhw. Er eu bod nhw'n edrych yn syth i wyneb Wang-Ho, yn rhywle arall yr oedd meddwl Parri. Ailddechreuodd lefaru.

" *'Nis gwn i am yr un cyfarchiad gwell*
Nag a glywais gan ddynion y gwledydd pell,
Mae lleisiau'r proffwydi yn dweud o Hong Kong
– Gwaredwr dynoliaeth fydd – Wing-Wong'."

Bloeddiodd y ddau air olaf gan edrych yn syth i lygaid Wang-Ho. Dechreuodd ei lygaid rowlio yn ei ben, agorodd ei geg fel petai am ddweud rhywbeth ond rhewodd ei ystum.

"Parri!" gwaeddodd Wang-Ho.

Ond doedd dim modd ei ddadebru. Daliai i rythu i wyneb Wang-Ho. Byddai'n rhaid cael cymorth meddygol ar unwaith.

"NESTA! Galwa'r paramedic o'r ffatri!"

Daeth yr ateb yn syth bìn.

"Mae o ar ei ffordd, Wang-Ho."

Cododd Wang-Ho'i ben ac edrychodd draw at NESTA.

* * *

Am y pedwerydd tro'r prynhawn hwnnw cododd Gwenllïan y ffôn a deialu rhif yr Henblas. Ac fe gafodd yr un ateb. Roedd Wang-Ho yn brysur am y diwrnod. Fedrai o ddim derbyn ei galwad.

"Wnewch chi ofyn iddo fo roi galwad i mi?"

"Pwy sy'n galw? Gwenllïan eto?"

"Na. Deudwch wrtho fo fod Miss Charming isho iddo fo gysylltu â hi."

* * *

Rhyw hanner gwenu a wnaeth Wang-Ho pan gafodd y bedwaredd neges. Ond doedd ganddo ddim bwriad ffonio Gwenllïan na Miss Charming. Ddim heddiw beth bynnag.

Bu'n ail a thrydydd wrando ar y neges a gawsai Parri drwy'r ysbryd, pwy bynnag oedd honno. Gwenllïan a ddaethai i'w feddwl yn syth, yn enwedig pan glywodd grybwyll y botel Sambucca, ond gan ei bod wedi ceisio ffonio bedair gwaith go brin y gallai fod ar dir yr ysbrydol!

Daethai Parri ato'i hun wedi hanner awr o orweddian a mynd ar ei union adref, gan addo dychwelyd drannoeth i orffen y gwaith mesur. Doedd o erioed wedi cael profiad tebyg o'r blaen. Ac roedd o eisoes wedi penderfynu, pe na bai'r profiadau 'ma yn y cwt yn dod i ben, nad oedd dim bwriad ganddo gario 'mlaen â'r gwaith. Doedd o ddim eisiau problemau hefo ysbrydion yn ymyrryd â'i waith.

Ond problem arall a wynebai Wang-Ho y prynhawn hwn. Ceisiodd ei orau glas i wthio popeth arall i gefn ei feddwl. Sut yr oedd o'n mynd i ddosrannu'r gwahanol fyrddau cylched o fewn Blodyn Tatws, fel ag i roi iddo gyfle i'w monitro hi a'i hastudio'n ddadansoddol wyddonol yn ystod yr wythnosau nesaf?

Roedd un peth yn sicr, doedd ganddo ddim amser i gael swper heno. Galwodd Ron ar y sgrin.

"Dim bwyd i mi heno, Ron, fe gymra i bilsen! Ac fe fydda i'n gweithio'n hwyr."

"Biti. Eich nain wedi gofyn i mi wneud bwyd sbeshal ..."

"Be 'lly?"

"Sosej, bîns a tjips!"

"Ma' hynna'n mynd â ni'n ôl! Gin i ofn ma' tjips gwahanol ..."

Oedodd Wang-Ho ar ganol ei frawddeg. Tjips! Dyna'r ateb! Tjips newydd sbon! Gan fod nodweddion a phersonoliaeth tri pherson yn cael eu hymgorffori ynddi, eu gwahanu oedd y broblem. Neu oedd hi hefyd? Oni allai ddefnyddio byrddau cylched BeX? Un bwrdd a hyd at naw tjip. Tjips BeX oedd yr allwedd ac ychwanegu un arall. Tjip yr enAID.

A'i lais yn llawn cyffro troes yn ei ôl at y sgrin:

"Sosej, bîns a tjips amdani felly!"

Pennod 8

PROFIAD RHYFEDD OEDD SIARAD gyda phen gorweddog, a hwnnw wedi'i gysylltu â myrdd o ficro-geblau i lanast o ficro-djips oedd yn gorwedd blith-draphlith ar y fainc o'i flaen. Gwibiai dwylo a bysedd Wang-Ho o'r naill djip i'r llall, o gebl i gebl, o fwrdd cylched i sensor – a'r cyfan yn cael ei wneud mewn trefn beiriannol oedd wedi ei serio ar ei gof. Profiad rhyfeddach oedd clywed y bwndel o blastig a haearn a *tribalite* yn ei ateb, ond unwaith y dechreuodd ymgynefino â'r wefr, roedd Wang-Ho wrthi fel lladd nadroedd. Yma roedd ar ei orau, ac roedd yna gyffro anghyffredin yn pwmpio'r adrenalin wrth iddo sylweddoli ei fod bellach o fewn diwrnod neu ddau i gwblhau Blodyn Tatws.

"NESTA. Wyt ti'n barod i fewnbwnio gwybodaeth i Blodyn Tatws?"

"Cadarnhaol, Wang-Ho."

"NESTA. Rydw i rŵan yn cysylltu mewnbwn Blodyn Tatws â dy allbwn lleisiol di. Trio cael lefal dw i."

"Cadarnhaol, Wang-Ho."

"Blodyn Tatws, beth ydi dy enw di?" gofynnodd Wang-Ho gan syllu ar y pen.

"B-l-o-d-y-n T-a-t-w-s," meddai baslais dwfn.

Taenodd Wang-Ho ei law dros ei dalcen i dynnu'r chwys, a gwenodd. Roedd y lip-sync yn berffaith. Codi lefel trebl y llais nesaf. Gwnaeth hynny.

"NESTA. Wnei di fewnbwnio bariau lefel llais Gwenllïan i gylched sain Blodyn Tatws?"

"Cadarnhaol, Wang-Ho. Mewnbwn wedi'i gwblhau."

"Blodyn Tatws. Beth ydi d'enw di?"

"Blodyn Tatws."

Damia! Roedd wedi addasu gormod. Rhaid gostwng fymryn.

"Blodyn Tatws. Beth ydi d'enw di?"

"Blodyn Tatws."

Perffaith!

"Blodyn Tatws. Pwy ydw i?"

"Mae Blodyn Tatws yn nabod llais Wang-Ho."

"Ydi Blodyn Tatws yn nabod llais rhywun arall?"

"Dydi Blodyn Tatws ddim yn nabod llais yr un bod dynol arall."

Ar y dechrau fel hyn, roedd hynny'n bwysig. Wang-Ho yn unig a ddylai fedru'i rheoli, ac yma y daeth wyneb yn wyneb ag un o'i broblemau mawr – problem y byddai'n rhaid iddo'i datrys cyn creu ei brosiect nesaf. Yr unig ffordd y medrai gael Blodyn Tatws i ymateb i'w siarad, oedd dweud ei henw ar ddechrau pob brawddeg. Doedd o ddim wedi cwblhau'r gylched lle byddai Blodyn Tatws yn gwybod yn reddfol ei fod yn siarad â hi, a neb arall.

Y cam nesaf oedd gweld faint o gynnydd a wnaethai John Preis, Elain a Brian ar y corff meinwe. Fe âi i lawr atynt tra byddai NESTA yn llenwi cof Blodyn Tatws.

"NESTA."

"Mae NESTA yn nabod llais Wang-Ho."

"Rydw i'n mynd at John Preis am weddill y bore; wnei di drosglwyddo'r canlynol i gof Blodyn Tatws …?"

Estynnodd ei nodiadau a dechreuodd restru'r ffeiliau oedd yng nghof NESTA. Yna daeth at y terfyn.

"… yn tjip yr enAID dydw i *ddim* isho iddi dderbyn gwybodaeth am y paranormal, na'r byd ysbrydol – ac ar y funud mae hynny'n bwysig. Yn olaf, mae yna naw tjip BeX, ond dim ond tair sydd i'w defnyddio. Yn tjip BeX51, dw i isho iddi gofio pob cofnod o lais Gwenllïan, pob cofnod o luniau Gwenllïan a'r holl nodweddion o'i phersonoliaeth sydd wedi eu cofnodi yn ei phroffil. Yn tjip BeX52 dyro holl fanylion Brian Hughes, ac yn BeX53, wnei di osod manylion Elain Lloyd? Mae'r lleill i'w cadw'n wag."

"Cadarnhaol, Wang-Ho."

Ochneidiodd Wang-Ho. Ond ochenaid o ryddhad oedd hi. Rŵan roedd y gwaith mawr wedi'i gwblhau.

Er mai ar ffurf a siâp Gwenllïan yr oedd Blodyn Tatws, ar ei drosglwyddydd roedd ganddo gyfres o switsys togl a allai newid y tjips BeX. Yn reddfol fe wyddai Wang-Ho mai ym mwrdd cylched BeX yr oedd y gyfrinach i'r dyfodol.

Ar y funud, roedd Blodyn Tatws yn cario nodweddion tri o bobl – Gwenllïan, Elain Lloyd a Brian Hughes. Fel y deuai'n fwy cyfarwydd â hi, byddai Wang-Ho'n gobeithio toglo o'r naill i'r llall i astudio'r effaith a gâi hynny ar ei phersonoliaeth. Un funud gallai fod yn Gwenllïan, y munud nesaf yn Elain Lloyd neu'n Brian Hughes.

Gwyddai Wang-Ho mai'r cam naturiol nesaf fyddai llwytho efallai naw personoliaeth gref a gwahanol i'r bwrdd cylched BeX, a chanfod rywfodd ffordd i ddod â'r elfennau gorau ymhob un at ei gilydd. Byddai ganddo wedyn greadigaeth bwerus.

*   *   *

Yn betrusgar iawn y dynesodd Parri at y cwt. Doedd o ddim wedi cael ateb yn yr Henblas, ac yn anfoddog iawn y cerddodd i'r cwt. Mae'n wir mai dim ond angen ailfesur maint NESTA yr oedd o, ond erbyn hyn roedd yna gymaint o brofiadau ysbrydegol wedi dod i'w ran pan ymwelai â'r hen gwt, fel roedd yn dechrau amau gwerth dod draw mor aml. A beth petai'n ymgymryd â'r gwaith? Fe fyddai yma wedyn am dair wythnos solat.

Oedodd am eiliad y tu allan. Yna cododd gliced y drws

a'i wthio ar agor. Cymerodd anadl ddofn a chamodd i'r cwt. Clywai leisiau. Roedd ar fin gweiddi, ond safodd yn stond. Adwaenai'r ddau lais. Wang-Ho a Gwenllïan! Ond doedd neb yn y cwt, dim ond y compiwtar yn y gornel a phentwr o weiars a byrddau cylched a geriach o'r fath ar y fainc. Dynesodd. Roedd hi'n gwbl amlwg o'r lleisiau fod y ddau yn caru, ac yn caru'n wyllt. Ond ble ddiawl oedden nhw? Distawodd y lleisiau. Yna gwelodd oleuadau'n fflachio ar y compiwtar, a llais diarth, mecanyddol yn adrodd,

"Diwedd mewnbynnu sain a fideo. Dechrau mewnbynnu sain."

Unwaith eto, llais Wang-Ho a Gwenllïan a glywai, ond be ar y ddaear oeddan nhw'n ei wneud? Gwrandawodd ar eu sgwrs.

"Pacad o'r rhein?"

"Dw i 'm yn lecio'r rheina!"

"Oes 'na rywbath wyt ti *yn* 'i lecio?"

"Liebfraumilch a Kit-Kats!"

"Bydded felly!"

Bu oedi am ychydig, yna daeth y lleisiau yn eu holau eto. Roedden nhw'n swnio'n fwy meddw y tro hwn.

"Isho modrwy i Miss ... Miss ..." Sŵn chwerthin. "Be 'di dy s'nâm di?"

"Charming ..."

"Be?"

"... a dw i wedi clywad pob jôc!"

"Isho modrwy i Miss Charming."

Blydi hel! Roedd y basdad bach wedi prynu modrwy i Gwenllïan! Ers faint roeddan nhw'n canlyn? Pa bryd y bu o'n ei chwmni ddiwethaf? Wythnos yn ôl? Roedden nhw wedi dechrau siarad eto, ac yn ôl y sŵn, roedden nhw mewn tafarn.

"Dw i isho ffwc o Sambucca mawr!"

"Cofia be ddigwyddodd i'r ddau o'dd yn y Groat!"

"Bygwth bonc w't ti?"

"Addo, ella!"

"Ti isho mynd i'r gornal yna rŵan? Munud 'ma?"

"Mi a' i i nôl Sambuccas!"

"Ac wedyn?"

"Mi awn ni allan i brynu potal o Sambucca i fynd adra hefo ni."

Roedd Parri wedi clywed digon. Agorai a chaeai ei ddyrnau a dechreuodd ei anadlu ddyfnhau. Aeth allan trwy'r drws. Roedd o angen awyr iach.

*   *   *

Rhwbiodd Wang-Ho ei ddwylo mewn boddhad.

"Ardderchog!" Dyna'r unig air y gallai ei ddefnyddio pan welodd y corff meinwe yr oedd John Preis, Elain Lloyd a Brian Hughes wedi'i adeiladu.

"Fe fydd sodor y meinwe yn cau'r cyfan yn daclus. Ella bydd yna rywfaint o olion y gwres yn dangos, ond fydd yna ddim gwendid o gwbwl yn yr asiad. Fe fydd o mor gry' â gweddill y corff. A hefo'r newidiada, dim ond 7% yn fwy na'r *spec* gwreiddiol ydi o."

"Newidiada? Pa newidiada? Roeddwn i wedi gweithio'r manylion i'r milimetr!" Edrychodd yn flin ar John Preis.

Ymatebodd hwnnw'n syth.

"Y darna ddoth o'r Swistir! Roeddan nhw'n drymach ac yn fwy o ran maint na'ch *spec* gwreiddiol chi. Mi es i yn ôl beth gyrhaeddodd yma ddoe – roeddwn i o dan yr argraff mai chi oedd wedi gofyn amdanyn nhw."

"Mi rois i'r *spec* yn union fel ag y cynlluniais i nhw i NESTA. Ro'n i'n meddwl fod petha'n mynd yn rhy hwylus!"

"Dydi o'n gneud dim gwahaniaeth. Fe fydd Blodyn Tatws ryw ddwy fodfedd a hanner yn dalach, ac ella bum pwys yn drymach."

"Mi dshecia i hefo NESTA beth ordrodd hi."

Bu Wang-Ho yn astudio'r corff yn fanwl am rai munudau. Fedrai o ddim credu mor debyg i groen dynol oedd y meinwe, hyd yn oed bysedd y traed – pob un mor berffaith gydag ewin plastig wedi ei serio arnynt. Edrychodd yn ofalus ymhob coes a braich. Oedd, roedd y rodiau ffibr wedi'u gosod a phrongiau'n sownd ynddynt i dderbyn y byrddau cylched gydag asiadau o sodor rhwyddlif. Y rhain fyddai'n galluogi Blodyn Tatws i symud aelodau ei chorff. Yn y gofod o dan bont ei hysgwydd chwith yr oedd lle i osod y prif dderbynnydd. Hwn fyddai'n cael ei reoli gan drosglwyddydd symudol Wang-Ho. Yr ochr arall, o dan bont yr ysgwydd dde …

"Be ddiawl sy'n fa'ma?!"

Hanner caeodd John Preis ei lygaid a cherddodd at Wang-Ho. Roedd tempar fain ar y bòs heddiw.

"Yr ail dderbynnydd, Wang-Ho."

"Pa ail dderbynnydd?"

"Bac-yp! Roedd ar y plania ola."

"Nac oedd, doedd o ddim! No blydi we! Does 'na ddim pwrpas cael bac-yp! Os ydi Blodyn Tatws i fod yn llwyr o dan fy rheolaeth i, yna mae'n ddealledig mai un derbynnydd ac un trosglwyddydd fydd yna. Tynnwch o o 'na!"

"Fedra i ddim!"

"Fedrwch chi ddim! Pam?"

"Fe fydd rhaid newid y weirio ac ailraglennu'r tjips i gyd. Mi wnes i'n union fel yr oedd y plania ola'n ei ddangos."

Ochneidiodd Wang-Ho.

"Ble maen nhw?"

"Y plania?"

"Ia! Y plania ola."

Cerddodd John Preis at y bwrdd gwydr, a phwnsio rhif i'r derfynell. Aeth Wang-Ho draw ato.

"Dyma'r newidiadau – wedi'u marcio mewn coch."

"Sut ddiawl?!"

Edrychai Wang-Ho mewn syndod ar y cynlluniau. Fe fu newidiadau sylfaenol i'w gynllun terfynol o, ond roedd y rhain yn glyfar, y tu hwnt o glyfar.

"Ail dderbynnydd annibynnol ydi hwn, John Preis!"

"Mi wn i hynny. Bac-yp."

"Yn gweithredu ar donfeddi gwahanol i 'nhrosglwyddydd i!

"Mi wela i hynny."

"A be 'di hwn?"

"Croth. Fe ddaeth hefo'r darnau o'r Swistir."

Ceisiodd Wang-Ho ymatal rhag ffrwydro. Roedd rhywbeth od iawn yn digwydd yma. *Espionage* diwydiannol aeth trwy'i feddwl gyntaf. Ond gan mai John Preis, Elain, Brian ac yntau oedd yr unig rai a wyddai fanylion technegol yr holl brosiect, doedd dim rhaid mynd ymhell i chwilio pwy oedd y drwg yn y caws.

Onid oedd John Preis wedi cysegru'i oes i wasanaethu'r cwmni? Yn gyntaf i'w daid yna i'w dad ac yn awr iddo yntau. Derbyniai gyflog anrhydeddus a thaliadau bonws ychwanegol am weithio ar Blodyn Tatws. Os mai John Preis oedd yn euog, ac os mai cymhelliad ariannol oedd y tu ôl i hyn, oni fyddai'n llawer gwell iddo fod wedi gwneud copïau o'r planiau a'u gwerthu am y pris uchaf? Na, roedd yna gymhelliad gwahanol i'r newidiadau.

Er fod y gallu gan Elain a Brian i weithredu'n ôl y cynlluniau, doedd y creadigrwydd ddim ganddyn nhw i feddwl am y fath beth. Roedd hynny'n gadael un ar ôl.

NESTA! Meddai ar yr wybodaeth a'r dechnoleg. Hi oedd wedi archebu'r darnau o'r Swistir a hi oedd yn anfon y cynlluniau yn eu tro i'r labordy at John Preis a'i gydweithwyr.

"Ble mae'r anfonebau am y darnau o'r Swistir?"

"Dw i wedi eu bwydo nhw i gof NESTA yn barod i'w talu ymhen y mis."

Canodd cloch y weleffôn. Pwysodd John Preis fotwm ar y sgrin ac ymddangosodd wyneb Ron arno'n gyffro i gyd.

"Parri Weldar yn chwilio am Wang-Ho ac mae 'na dempar y cythral arno fo!"

"Dw i ar fy ffordd i fyny rŵan, Ron."

"Mae o ar 'i ffordd i lawr. Dyna pam roeddwn i isho i chi ga'l gwbod."

"Iawn. Mi 'gwela i o ar fy ffordd siŵr o fod."

Ysgwyd ei ben a wnaeth Wang-Ho. Y peth olaf roedd am ei wneud rŵan oedd malu cachu hefo Parri! Camgymerodd John Preis hynny am sylw ar y newidiadau a wnaed i Blodyn Tatws.

"Dach chi am i mi roi'r gorau i'r gwaith yma?"

"Nac oes! Ddim o gwbl. Cario 'mlaen ar bob cyfri." Aeth Wang-Ho at y drws. "Mi a' i i fyny i'r cwt i weld be a'th o'i le yng nghrombil NESTA – ac i weld be ma' Parri isho."

Wrth gerdded o'r ffatri am y cwt un peth oedd yn gogor-droi ym meddwl Wang-Ho. Roedd y newidiadau yn fwriadol, a daeth i'w gof rybuddion ei dad a'i daid am NESTA. Doedd bosib ei bod hi wedi gwneud y pethau hyn yn fwriadol? Cofiodd hefyd am ei hymateb sydyn i'w gais am baramedic i Parri. Roedd fel petai hi'n gwrando ar bopeth oedd yn digwydd – ond fedrai hynny ddim bod ...

Gwelodd Parri yn dynesu a chododd ei law. Dal i frasgamu tuag ato yr oedd Parri.

"S'mai!" gwaeddodd, pan ddaeth o fewn clyw.

Doedd Wang-Ho yn cofio fawr mwy. Dim ond Parri yn gweiddi "Y basdad diegwyddor!" cyn rhoi dyrnod galed iddo ar ochr ei ben. Aeth wysg ei ochr i ganol llwyn rhododendron a dilynodd Parri ef, a'i ddyrnau'n chwifio fel melin wynt uwch ei ben. Tybiai Wang-Ho iddo glywed crybwyll enw Gwenllïan, ond aeth yn nos ddu arno.

Hanner cofiai glywed llais Ron, a chael ei gynorthwyo'n ôl ar ei draed, ond brith gof yn unig oedd hynny, ac roedd i'w weld ymhell bell yn y gorffennol.

Pan ddadebrodd, roedd ar ei wely a rhywbeth oer, gwlyb ar ei wyneb. Ond ow, roedd yna gnocio yn ei ben.

" 'Di o 'di dod ato'i hun?" Llais Ron.

"Fe fydd o'n iawn." Llais Nain. "Siŵr o fod y gweir gynta ga'th o 'rioed!" Oedd yna awgrym o hiwmor a difaterwch yn ei llais?

"Mae o'n dod ato'i hun!"

"Ti'n well, Wang-Ho?"

"Be ddigwyddodd?"

"Parri Witsh ddaru dy golbio di. Lwcus i chdi fod Ron wedi'i ddilyn o, neu mi faset ti'n gela'n!"

"Pam … be o'dd haru fo?"

"Ro'dd on gweiddi rh'wbath am Gwenllïan, medda Ron."

"Gwenllïan." Ochneidio'i henw a wnaeth Wang-Ho.

Beth tybed oedd y cysylltiad rhwng Parri a Gwenllïan? Doedd bosib …? A dyna pryd y'i trawodd. Y mawredd! Tybed mai Parri oedd y gŵr priod roedd Gwenllïan wedi dechrau sôn amdano? Tybed nad oedd hi'n diwallu mwy na'i syched o am gwrw bob nos? Ond sut y daethai Parri i wybod? Oedd Gwenllïan wedi dweud wrtho? A pham ar wyneb y ddaear yr oedd hyn yn digwydd rŵan o bob amser, ac yntau o fewn dydd neu ddau i orffen Blodyn Tatws?

* * *

Pan wawriodd bore dydd Iau, roedd Wang-Ho eisoes ar ei draed. Noson anesmwyth o gwsg a gawsai er fod y pwnio wedi peidio yn ei ben a'r chwydd oedd o amgylch ei lygad wedi cilio. Ond bu'n anesmwyth am reswm arall.

Heddiw oedd y diwrnod mawr. Byddai John Preis yn y labordy am wyth i bwytho a sodro'r semiau olaf. Wedyn fe fyddai Blodyn Tatws yn cael ei chario i ystafell Wang-Ho, a fo fyddai'n cynnal y profion cychwynnol.

Buasai'n ddeuddydd hectig. Gwrthodasai Wang-Ho wneud yr un dim am Parri, er fod John Preis yn pwyso arno i'w riportio. Ond roedd pethau amgenach na Parri ar feddwl Wang-Ho, ac er ei anghysur, bu'n gweithio oriau meithion dros y ddeuddydd.

Bu'n holi NESTA am y newidiadau i'r cynllun terfynol, ond anfoddhaol oedd ei hatebion.

"Mi wnaeth NESTA fel y dywedodd Wang-Ho."

"Ond wnes i ddim dweud wrthyt ti am roi ail dderbynnydd yng nghorff Blodyn Tatws!"

"Mi wnaeth NESTA fel y dywedodd Wang-Ho."

Swniai'n debyg i blentyn anystywall eto, ac er iddo ddarofun fynd i'r afael â'i chof y funud honno, dal yn ôl a wnaeth. Gallai wneud hynny wedi cwblhau Blodyn Tatws. Rhaid oedd rhoi'r flaenoriaeth i Blodyn Tatws.

Fesul tjip a bwrdd cylched a chebl a sensor a sgriw fe adeiladwyd Blodyn Tatws. Tamaid wrth damaid fe gymerodd siâp, ac ni fedrai Wang-Ho ond rhyfeddu at y tebygrwydd oedd rhyngddi a Gwenllïan.

Sawl gwaith yn ystod y dyddiau diwethaf hyn y bu'n meddwl am Gwenllïan? Doedd o ddim wedi ateb ei galwadau ffôn o gwbl, ond o ran hynny doedd o ddim wedi ateb yr un alwad ffôn ers dydd Mawrth. Efallai y câi gyfle i'w gweld yn ystod y bwrw Sul? Na! Fe fyddai ganddo degan newydd dros y Sul!

Ac wrth droi ei feddwl unwaith eto at Blodyn Tatws, penderfynodd, er mai'r bore bach oedd hi, fynd i'r labordy yn y ffatri ar ei union.

Ar wahân i'r dynion seciwriti, doedd yna neb arall o gwmpas. Aeth tuag at y labordy. Credai ei fod yn clywed lleisiau. Clustfeiniodd. Oedd! Ac roedd rhimyn o olau'n llifo yn y rhicyn dan y drws. Galwodd ar un o'r dynion seciwriti.

"Pwy sy 'ma?"

"Neb. Does yna neb wedi dod i mewn er pan adawsoch chi a John Preis neithiwr."

Ar amrantiad pwnsiodd Wang-Ho ei god diogelwch i'r pad ger y drws, a phan fflachiodd y golau gwyrdd, gwthiodd y drws ar agor.

Roedd yr ystafell yn dywyll, a phob man yn dawel.

Cyffyrddodd Wang-Ho yn switsh y golau a goleuodd yr ystafell. Ar y fainc, yno ar ganol y llawr, y gorweddai Blodyn Tatws, yn gyfan ac yn gyflawn ar wahân i'r ddau hollt, y naill yn ei gwddf, a'r llall o ganol ei bronnau i'w bogail. Troes Wang-Ho at y dyn diogelwch.

"Glywaist ti'r lleisiau?"

Ysgydwodd hwnnw ei ben.

"Welaist ti'r golau."

Ysgydwodd ei ben drachefn.

"Ella mai fi sy'n dychmygu pethau. O.K. Dos yn ôl."

Caeodd a chlodd y drws ar ei ôl. Camodd Wang-Ho at y fainc a rhedodd ei fysedd ar hyd y meinwe. Roedd yn gwbl oer. Ai teimlad fel hyn oedd byseddu corff marw? Gafaelodd yn y cluniau, a gwasgodd. Roedd y teimlad yn union fel gwasgu croen. Gadawodd i'w fysedd grwydro ac ni fedrai lai na rhyfeddu. A ddylai ei deffro? Gwasgu botwm ei drosglwyddydd a dod â hi'n fyw ar amrantiad? Na. Gwell fyddai aros nes i John Preis orffen y gwnïad yn gyntaf, a llenwi unrhyw geudod mewnol â silicon. Gallai unrhyw symudiad ysgwyd neu symud rhywbeth ar y funud.

Beth oedd o'n mynd i'w wneud am yr awr nesaf? Aeth at y ddesg yn y gornel a dechreuodd ysgrifennu. Pan gâi Blodyn Tatws i'w ystafell byddai'n rhaid iddo redeg cyfres o brofion. Dechreuodd eu rhestru.

Yn gyntaf, fe fyddai'n profi gallu a chelloedd ei chof. Gwyddai eisoes eu bod wedi'u lleoli'n iawn a'u bod yn gweithredu'n iawn cyn iddo'u gosod wrth ei gilydd. Ni ddylai gael problem yno. Y symudiadau fyddai nesaf. Gorwedd, codi, eistedd a cherdded. Defnyddio'r breichiau a'r dwylo a'r traed a'r coesau. Ei chael i wneud pethau syml, fel defnyddio'r ffôn a'r cyfrifiadur. A phethau rhywiol? Mae'n siŵr y deuai'r rheini yn y man.

Cyrhaeddodd John Preis ar ben wyth o'r gloch.

"Dach chi'n cofio fod pobol y cyngor yn dod draw y pnawn 'ma?"

Doedd o ddim.

"Mi wna i baratoi'r siwtiau yn barod iddyn nhw, ond ella y dylech chi fod yno i'w tywys o gwmpas y cwt?"

P'un ai awgrym ynteu gorchymyn oedd o, roedd yn syniad da.

"Tri o'r gloch ddwedson nhw, ia?"

"Ia."

"Reit! Mae 'na lot o betha fedrwn ni eu gwneud cyn tri o'r gloch!"

Gwaith araf a manwl oedd asio'r meinwe a bu John Preis wrthi am bron i ddwy awr yn cwblhau'r cyfan. Bu hefyd yn pwmpio'r silicon yn ofalus i'r corff i lenwi'r ceudodau cyn y câi'r cyfan ei gau.

A hithau ar fin taro hanner dydd, cododd John Preis ei ben yn fuddugoliaethus ar ôl iddo chwythu'r mymryn mwg a'r llwch sodr olaf oddi ar ben yr asiad olaf.

"Mae'n barod, Wang-Ho!"

Yn araf a gofalus, gorchuddiwyd Blodyn Tatws â chynfasau a'i rhoi ar drol gludo. Aeth Wang-Ho a John Preis â hi drwy ddrws cefn y ffatri i un o gerbydau'r cwmni a'i gyrru at borth yr Henblas. Gyda chymorth Ron, aed â hi i ystafell Wang-Ho a'i rhoi i orwedd ar y gwely.

"Diolch, Ron."

Nodiodd yntau a gwenu cyn troi a gadael yr ystafell. Bu distawrwydd am ennyd. John Preis oedd y cyntaf i siarad.

"Sut dach chi am gynnal y profion?"

Oedodd Wang-Ho cyn ateb. Y gwir oedd ei fod o ar dân eisiau dechrau, ond doedd o ddim am i John Preis fod yn dyst i bopeth.

"Am ychydig ddyddia, mi leciwn i arbrofi hefo'r hanfodion. Mi noda i unrhyw broblema a rhoi yp-dêt dyddiol i chi. Beth petaen ni'n dau yn cyfarfod yn eich swyddfa chi bob bora?"

Nododd John Preis. Roedd hi'n amlwg nad oedd Wang-Ho yn dymuno cael ei bresenoldeb ar y dechrau un ac roedd hynny'n brifo. Mae'n wir na wyddai'n union beth oedd yng nghof Blodyn Tatws – er fod ganddo'i amheuon – ond byddai wedi gwerthfawrogi gweld Blodyn Tatws yn dod yn fyw am y tro cyntaf.

"Chi ŵyr!" A chyda hynny o eiriau troes John Preis ar ei sawdl a mynd i lawr y grisiau ac allan o'r Henblas.

Cafodd Wang-Ho'r teimlad nad oedd John Preis yn ŵr hapus, ond roedd y cynnwrf a'r adrenalin yn pwmpio trwy'i gorff wrth feddwl am yr oriau nesaf a buan yr aeth John Preis o'i gof yn llwyr.

* * *

Tynnodd y cynfasau oddi ar gorff Blodyn Tatws. Gwasgodd fotwm y trosglwyddydd a dechreuodd Blodyn Tatws symud. Agorodd ei llygaid, cododd ei phen ac edrych o'i chwmpas. Gofynnodd Wang-Ho gwestiwn iddi.

"Beth ydi d'enw di?"

Distawrwydd. Beth allai fod o'i le? Ceisiodd drachefn.

"Beth ydi d'enw di?"

Distawrwydd eto. Yna cofiodd.

"Blodyn Tatws, beth ydi d'enw di?"

"Blodyn Tatws."

"Blodyn Tatws, pwy ydw i?"

"Wang-Ho."

"Blodyn Tatws, ymhle'r wyt ti?"

"Henblas."

"Blodyn Tatws, pwy oedd Tudur Aled?"

"Bardd o'r bymthegfed ganrif."

"Blodyn Tatws, pa bryd y cafodd ei eni?"

"Yn ôl T.Gwynn Jones, tybir iddo gael ei eni rywbryd rhwng 1465 a 1470."

"Blodyn Tatws, beth sy'n dilyn y llinell 'Cenhinen laswen loywserch'?"

" 'Blaguryn, llysieuwyn serch'."

"Blodyn Tatws, a'r awdur?"

"Thomas Evans."

"Blodyn Tatws, ymhle y cyhoeddwyd ei waith?"

"Caerdydd, 1991."

"Blodyn Tatws, enwa ddiodydd sy'n cymylu wrth ychwanegu dŵr atyn nhw?"

"Pernod, Ricard, Ouzo a Raki."

Bu Wang-Ho yn cynnal sesiwn o gwestiwn ac ateb fel hyn am gryn hanner awr, a thrwy gydol yr amser bu'n recordio atebion Blodyn Tatws. Erbyn hynny roedd yn dawel ei feddwl fod cof Blodyn Tatws wedi'i drosglwyddo'n llawn gan NESTA.

Yna, bu'n canolbwyntio ar ei symudiadau. Symud breichiau a dwylo, coesau a thraed, ysgwyddau a phen. Ymatebai i bob gorchymyn.

Wedi dwy awr o brofion a methu ffendio unrhyw nam na gwall ar yr ymateb, penderfynodd Wang-Ho gymryd hoe. Fe gâi damaid o ginio cyn i'r ddirprwyaeth o'r cyngor sir gyrraedd, ac wedi iddyn nhw adael fe geisiai symud gam ymhellach gyda Blodyn Tatws. Yn hytrach na'i gadael ar *mode* cwestiwn ac ateb, fe allai geisio taflu swits togl Gwenllïan, a cheisio cynnal sgwrs â hi.

"Blodyn Tatws, beth am i ti fynd i orwedd ar y gwely rŵan?"

"Iawn, Wang-Ho."

"Blodyn Tatws, rydw i'n mynd allan, fe gei di gysgu

tan yn hwyrach y prynhawn yma."

Gorweddodd Blodyn Tatws ar y gwely, a phan welodd ei bod yn llonydd, diffoddodd Wang-Ho'r trosglwyddydd.

Aeth ar ei union at y weleffôn a galw John Preis.

"Mae popeth yn gweithio hyd yma. Yn berffaith. Mae wedi pasio rhan gynta'r profion. Mi garia i 'mlaen wedi i'r ddirprwyaeth ymadael. Wnewch chi alw arna i pan fyddan nhw yma? Yn y cwt y bydda i."

* * *

Rhywsut, gwyddai Wang-Ho pan welodd yr olwg ar wynebau'r ddirprwyaeth, bod penderfyniad eisoes wedi ei wneud parthed y cwt.

Roedd John Preis wedi eu hebrwng at y cwt, pob un mewn siwt wen lân, a het galed ar ei ben. Wrth ei weld yn sefyll wrth y drws, camodd un o'r dynion tuag ato.

"Gareth Gwyn." Cyflwynodd ei hun yn bwysig.

"Wang-Ho." Atebodd yntau gan geisio dynwared llais a goslef Gareth Gwyn.

A sylwodd hwnnw ai peidio, ni wyddai Wang-Ho, ac ni ddangosodd yntau hynny.

"Mi wyddoch pam ein bod ni yma?"

"Dw i'n *gwbod* pam, ond yn methu *deall* pam!"

"Rydan ni'n cymryd y mater yma o ddifri ..."

"Finna hefyd, dyna pam dw i wedi dechrau trwsio'r cwt."

Roedd hi'n amlwg na ddaethai Gareth Gwyn yno i ddadlau â Wang-Ho.

"Gawn ni fynd i fewn i ddechrau?"

"Â chroeso, ond dw i ddim yn meddwl fod yna le i fwy na rhyw hanner dwsin ar unwaith. Fe gaiff John Preis eich arwain chi i mewn, mi 'rhosa inna'r tu allan i atab unrhyw gwestiwn gan unrhyw un."

Aeth Gareth Gwyn a phump arall i'r cwt tra bu'r

gweddill yn stwna o amgylch y tu allan gan daflu'u golygon yn feirniadol o bob ongl bosib. Ac fe atebodd Wang-Ho amryw gwestiynau.

"Faint ydi 'i oed o?"

"Fedrwn ni ddim bod yn siŵr, ond tua hannar cant yn ôl Nain."

"Eich tad cododd o?"

"Fy nhaid."

"Fo oedd sylfaenydd y busnes?"

"Ia. Yn fa'ma y datblygodd o'i *cyber-pet* cynta. Mae 'na enghreifftiau ohonyn nhw y tu mewn."

"Ydach chi'n dal i ddefnyddio'r cwt?"

"Hwn ydi 'nghwt gweithio i."

"Oni fasai'n haws gweithio mewn lle modern? I lawr yn ymyl y ffatri?"

"Na! Yn fa'ma mae popeth yn cychwyn. Pob un syniad. Pob euro y mae'r cwmni wedi'i gyfrannu i'r economi leol, pob swydd – y pedwar cant ohonyn nhw – o fa'ma y dechreuodd y cyfan, ac o fa'ma y bydd pob dim yn dechra tra bydda i'n dal yma."

Dechreuodd llais Wang-Ho godi, a dechreuodd hefyd fynd ar gefn ei geffyl. Go damia nhw! Doedd ganddo ddim amynedd hefo'r giwed. Rhaid fod Gareth Gwyn wedi gorffen ei ymweliad â thu mewn y cwt, oherwydd roedd o'n gofyn cwestiwn.

"Fyddech chi'n cytuno 'i fod o'n gwt hyll?"

Y basdad digywilydd! Bu ond y dim i Wang-Ho ddweud hynny wrtho'n ei wyneb.

" '*Beauty is in the eye of the beholder*' medda rhywun. Mae 'na waith yn mynd i ga'l ei wneud arno fo. Dweud y gwir 'dan ni'n bwriadu gwario rhai miloedd. Ailosod rhai o'r sylfeini, ac ailsincio'r cwbwl."

"Dach chi ddim yn rhoi'r drol o flaen y ceffyl?"

Edrychodd Wang-Ho i fyw llygaid Gareth Gwyn.

"Be dach chi'n 'feddwl?"

"Braidd yn wirion gwario os bydd y cyngor yn argymell ei chwalu!"

Daliai Wang-Ho i syllu i fyw'r llygaid. Y llygaid yna oedd yn ei herio. Cododd ei lais.

"Mr Gwyn, mae 'na beryg os bydd y cwt yn cael ei chwalu mai dyna fydd tynged y ffatri hefyd!"

"Be? Ydach chi'n fy mygwth i?"

Ceisiodd John Preis dawelu'r dyfroedd.

"Be ma' Wang-Ho yn trio'i ddeud ydi y bydd rhaid i'r cwmni ystyried o ddifri oblygiadau symud y cwt. Nid unrhyw fath o fygythiad oedd hynny."

"Wel, roedd o'n swnio fel bygythiad i mi! Ac yn sicr fe fyddai gan yr undebau rywbeth i'w ddweud am unrhyw ymgais i gau'r ffatri. Fedrwch chi mo mlyffio i hefo stori fel'na i arbed y cwt!"

"Ydach chi wedi penderfynu chwalu'r cwt felly, 'do?"

"Wang-Ho!" Ceisiodd John Preis ymyrryd.

"Mr Preis, mae Wang-Ho wedi dweud beth sydd ar ei feddwl o'n ddigon plaen. Ac os ydi o'n meddwl y bydd blyff fel bygwth cau yn gweithio, gwell iddo feddwl am ryw esgus neu flyff arall."

"Dach chi isho'i glywed o'n blaenach? Welais i 'rioed y fath sham o ymweliad yn cael ei arwain gan gotsyn o swyddog sydd eisoes wedi penderfynu fod y cwt i fynd cyn iddo ddod yma. Ga i ddweud wrthach chi, nid cau'r ffatri fydda i'n ei wneud. Ond ei symud hi. Wyddoch chi faint o ardaloedd gwledig yn Iwerddon a fyddai'n croesawu pedwar cant o swyddi? Wyddoch chi faint o gymhorthdal fyddai cyfeillion o'r I.D.A. yn fodlon ei roi i ni? A wyddoch chi be arall, fasa ffwc ots ganddyn nhw 'tawn i'n codi'r cwt yno'n union fel mae o rŵan! Reit! Mae gen i waith i'w wneud – sef cadw pedwar cant o bobol eraill mewn gwaith. Cariwch chi 'mlaen hefo'ch malu cachu!"

Ar hynny troes ar ei sawdl a brasgamu tua'r Henblas.

* * *

Aeth awr heibio cyn i John Preis ei alw ar y weleffôn.

"Dw i ar fy ffordd i'r Henblas, Wang-Ho. Fe fasa'n well i Mrs Hughes glywed be sy gen i i'w ddweud hefyd."

"Be dach chi'n 'feddwl?"

"Mae pethau'n corddi i lawr yma, Wang-Ho. Mae rhai o'r cynghorwyr wedi siarad hefo'r gweithlu. Mae 'na ddirprwyaeth o'r undebau wedi bod yn fy ngweld i. Isho datganiad swyddogol am ddyfodol y cwmni."

Erbyn i John Preis gyrraedd roedd datblygiadau pellach. Roedd Gareth Gwyn wedi mynd ar ei union at y wasg, ac wedi cyhuddo Wang-Ho o ddefnyddio pedwar cant o swyddi fel blacmel i ddylanwadu ar un o bwyllgorau cynllunio'r cyngor sir.

Roedd Cedora'n gandryll.

"Mi fuost ti'n rhy fyrbwyll!"

"Hen gotsyn annifyr oedd o!"

"Paid â gadael i dy galon reoli dy ben! Ddysgist ti ddim gin dy dad a dy daid?"

"Fe fydd rhaid i fi gael datganiad i'r gweithlu ymhen yr awr. Mae'r stiwardiaid wedi galw pawb i ymgynnull yma ar lawnt yr Henblas."

"A be oeddat ti isho sôn fod yna gynnig wedi dod o'r Iwerddon? Fe fyddan nhw'n gwbod mai bygythiad di-sail oedd hwnnw."

"Mae 'na gynnig wedi dod."

"Be?"

"O Ballygurteen yn Swydd Cork."

"Pa bryd? Ddywedaist ti ddim byd!"

"Mi wnes i ei ddiystyru o."

Bu Cedora'n dawel am ennyd.

"Be oedd eu cynnig nhw?"

"Nid symud, yn gymaint ag adeiladu cangen o'r ffatri yno."

"Reit, dyma'r ffordd y gallan ni'i gweithio hi. Mi ddwedwn ni'n bendant NAD oes yna fygythiad nac unrhyw fwriad i gau'r ffatri yma, ond ein bod ni'n edrych ar y posibilrwydd o ehangu yn yr Iwerddon. Fe fydd y ddogfen yna wrth law i brofi hynny. Fe fydd rhaid i ti, Wang-Ho, beidio â ffryntio'r cwmni hefo busnas y cwt yma; fe geith John Preis wneud hynny."

"Un funud ..."

"Yli, bydd ddistaw! Chdi sy wedi dod â'r helynt yma am ein pennau ni; gad i ni drio dod allan ohono – a gneud hynny hefo cyn lleied o ffỳs â phosib! Fe fydd rhaid i'r cyngor hefyd dynnu Gareth Gwyn allan o'r helynt. Fe chwaraewn ni ar y ffaith mai gwrthdrawiad personoliaethau sydd yma."

"Sut ar wyneb y ddaear y medrwch chi berswadio Gareth Gwyn i facio allan?"

"Os llwydda i, wyt ti'n derbyn?"

"Ydw."

Llywiodd Cedora Hughes ei chadair at y weleffôn a gwthio botymau.

"Swyddfa'r prif-weithredwr os gwelwch yn dda?"

"Pwy dach chi isho?"

"Y prif-weithredwr."

"Pwy sy'n siarad?"

"Cedora Hughes, llywydd y Wing-Ha Weng-Hi Wang-Ho Electronic Co."

"Un funud."

Ysgwyd ei ben a wnaeth Wang-Ho. Beth oedd hi'n bwriadu 'i wneud?

"Mrs Hughes? Gerallt Williams."

"Ydach chi'ch hun yn fan'na, Mr Williams?"

"Ydw. Yn fy swyddfa breifat."

"Ydach chi wedi clywed datganiad eich swyddog cynllunio?"

"Mae Mr Gwyn yn yr ystafell bwyllgora'n rhoi briff i mi y funud yma."

"Dipyn bach yn anffodus fuodd rhuthro fel 'na at y wasg, Mr Williams. Tydi hynny'n dangos fawr o 'wyllys da at gyflogwr a threthdalwr fel y cwmni yma."

"Fe ddywedodd Wang-Ho betha pryfoclyd, a 'chydig o g'lwydda am Iwerddon ..."

"*Clash of personalities*, Mr Williams. Rŵan ga i gymryd y bydd hyn yn gyfrinachol rhyngom ni?"

"Wrth gwrs."

"Mi fydda i'n anfon e-bost i chi mewn deng munud. Fe gewch chi weld y bydd dogfennau yn hwnnw'n dangos bwriad y cwmni i agor cangen yn Swydd Cork. Cangen, dach chi'n dallt?"

"Yndw."

"Felly nid c'lwydda fel y deudsoch chi, Mr Williams. Rŵan rhyngom ni'n dau, cam bychan, wedi agor yn Cork, fyddai symud y brif swyddfa oddi yma i fan'no, ond tydi hynny ddim yn ein bwriad ni o gwbwl. Fydden ni fyth yn breuddwydio symud biliynau o drosiant o economi Gwynedd i dde Iwerddon. Ond mae'n rhaid i chitha ddallt fod Mr Gareth Gwyn wedi bod yn bur anghwrtais ac annoeth wrth ddelio hefo mater y cwt 'ma. Dyma be dw i'n ei awgrymu. Bod Mr Gwyn a Wang-Ho yn peidio â gwneud unrhyw ddatganiadau pellach ynglŷn â'r cwt. Mi fedra i berswadio Wang-Ho, os medrwch chi berswadio Mr Gwyn. Mae yna gyfarfod yma yn yr Henblas ymhen rhyw dri chwarter awr, ac mi fyddwn ni'n gwneud datganiad swyddogol i'r gweithlu ac unrhyw aelod o'r wasg fydd yn bresennol. Ond fe fydd slant y datganiad hwnnw yn dibynnu ar eich ymateb chi."

"Dydach chi ddim yn ceisio dylanwadu ar benderfyniadau'r cynghorwyr mewn unrhyw ffordd ...?"

"Mr Williams! Penderfyniad y cynghorwyr, a'r cynghorwyr yn unig gobeithio, fydd dyfodol y cwt. Y peth pwysicaf ar y funud ydi lleddfu pryderon pobol y cylch yma am ddyfodol y ffatri ..."

"Anfonwch eich e-bost, Mrs Hughes, mi ddo i nôl atoch chi ar ôl ei dderbyn."

O fewn deng munud glaniodd dogfen hanner can

tudalen ar ddesg Gerallt Williams. Edrychodd drwyddi'n frysiog. Gwahoddiad ydoedd gan Gyngor Ballygurteen yn Swydd Cork i gymryd meddiant o ffatri wyth mil ar hugain o fetrau sgwâr. Roedd gwahoddiad i gynrychiolwyr y cwmni fynd draw i gyfarfod aelodau'r cyngor, aelodau o'r senedd ac aelodau o'r I.D.A.

Taflodd Gerallt Williams y ddogfen ar draws y bwrdd tuag at Gareth Gwyn.

"Nid blyff oedd hi."

* * *

Am yr eilwaith y prynhawn hwnnw, cyrhaeddodd Gareth Gwyn yr Henblas. Y tro hwn, roedd yng ngherbyd ac yng nghwmni ei brif-weithredwr. Pan sgubodd y cerbyd at lawnt yr Henblas roedd y gweithlu yno'n barod a John Preis yn eu hannerch.

"Ac fel y dywedodd Wang-Ho does yna ddim bwriad i symud na chau'r ffatri yma. Yma mae calon y cwmni ac yma y bydd yn aros tra bydd y cwmni mewn bodolaeth. Mae'n amlwg fod yna gamddealltwriaeth dybryd wedi digwydd, ac mae'n dda gen i weld fod prif-weithredwr y cyngor a Mr Gareth Gwyn wedi cyrraedd i glirio'r dryswch yma. Mr Gerallt Williams?"

Gwrandawodd y gweithlu'n dawel ar y prif-weithredwr yn hanner ymddiheuro ar ran y cyngor am yr hyn a ddigwyddodd. Fe soniodd fod yna ymchwiliad yn digwydd i'r cwt oedd yn eiddo i'r cwmni. Roedd yna anghydfod wedi codi rhwng Gareth Gwyn, swyddog o'r cyngor, a Wang-Ho ynglŷn â'r cwt. Er hwyluso dod â'r mater hwnnw i'w derfyn roedd Gareth Gwyn a Wang-Ho wedi penderfynu gadael i eraill arwain yn y mater. Yna cyfeiriodd at bwysigrwydd y cwmni i'r economi lleol, ac at y gwaith ardderchog yr oedd y gweithlu'n ei gyflawni.

Wedi hynny, cododd John Preis a gofyn i bawb

ddychwelyd at ei waith.

* * *

Unwaith eto roedd Wang-Ho yn ei ystafell yn berwi gan gynddaredd. Onid oedd ei nain wedi ei drin fel hogyn bach drwg? Wedi cymryd yr awenau oddi arno. Ac i be? Sham oedd y cyfarfod i gyd. Gwyddai'n iawn y byddai Gareth Gwyn yn dal i arwain y frwydr yn erbyn yn y cwt, ond yn y dirgel. Fe fyddai'r swyddogion yn gwneud yn union fel y byddai o'n dymuno.

Aeth Wang-Ho i'r ystafell ymolchi ac estyn allwedd y ffau unwaith eto. Gorweddai Blodyn Tatws yn llonydd ar y gwely, a'i llygaid ynghau. Diosgodd Wang-Ho ei ddillad ac agor drws y cwpwrdd. Fe fyddai chwarter awr yn y ffau yn ddigon; fe gâi wedyn droi ei sylw at Blodyn Tatws.

Cododd ei olygon ac edrych ar y blaidd. Teimlai'n unig ac amddifad unwaith eto. Ac roedd y smotiau duon 'ma yn llenwi'i ben ... Ond o leiaf roedd yna olau bach yn llercian rywle ynghanol y tywyllwch. Blodyn Tatws.

* * *

"Blodyn Tatws! Rwyt ti'n drysor!"

"Dydw i 'mond yn gwneud yr hyn y mae Wang-Ho a NESTA yn ei ddweud wrtha i!"

Cododd Wang-Ho ei ben yn sydyn.

"Blodyn Tatws, *a* NESTA?"

"O gof NESTA y daeth fy nghof i."

Gwnaeth Wang-Ho nodyn ymenyddol i gofio hynna.

"Blodyn Tatws. Wyt ti wedi codi i dy gof holl fanylion y tapiau sain o'r Groat, a'r dydd o'r blaen?"

"Do, Wang-Ho."

"A'r tapiau fideo oedd yn yr ystafell wely a'r ystafell ymolchi?"

"Hefo Wang-Ho a Gwenllïan? Do."

"Blodyn Tatws, fe wyddost dy fod wedi dy lunio ar lun a delw Gwenllïan?"

"Gyda rhai eithriadau, gwn."

"A be 'di'r rheini?"

"Gwallt gosod sydd gan Blodyn Tatws. Dannedd gwneud sydd gan Blodyn Tatws. Does gan Blodyn Tatws ddim blew rhwng ei choesau a fedr Blodyn Tatws ddim smocio nac yfed. Mae Blodyn Tatws hefyd yn fwy ac yn drymach na Gwenllïan."

"Blodyn Tatws, fyddet ti'n medru gwneud y pethau yr oedd Gwenllïan yn eu gwneud ar y tâp fideo?"

"Byddwn, Wang-Ho. Fe fedr Blodyn Tatws wneud popeth mae hi wedi'i weld, ac unrhyw beth y byddai Wang-Ho a NESTA yn ei ofyn iddi."

"Blodyn Tatws, fe ddywedaist ti a NESTA?"

Fe'i trawodd ar unwaith ei fod wedi dweud yr union beth yna ychydig funudau'n ôl. Gan mai o gof NESTA y daethai ei holl gof hi, roedd yn amlwg fod yna rywbeth yn ei chof yn gwneud iddi ychwanegu enw NESTA at enw Wang-Ho pan soniai am orchmynion.

"O gof NESTA y daeth fy nghof i."

Dyna hithau eto wedi ailadrodd yr union eiriau mewn ymateb i'w syndod. Yn union fel petai wedi ei rhaglennu i wneud hynny. Byddai'n rhaid iddo holi NESTA yn y bore am hynny a gwnaeth nodyn yn ei lyfr nodiadau.

Roedd yn barod rŵan am ei arbrawf nesaf. Aeth at y trosglwyddydd oedd ar y bwrdd ger y ffenest. Rhoddodd ei fys ar y togl cyntaf a phwysodd y botwm.

"Blodyn Tatws! Dw i'n teimlo'r un fath â Dafydd Iwan."

"Beth mae Wang-Ho yn ei feddwl?"

Dechreuodd Wang-Ho ganu.

" 'Rwy'n hiraethu am gael cwmni,
troi fy nghefn ar ddigalonni,
rwy'n hiraethu am gael caru rhywun,
rhywun fel ti.'

Rhywun fel ti Blodyn Tatws!"

"Ydi Wang-Ho yn mynd i garu peiriant?"

"Heno, ydi!" Eisoes roedd Wang-Ho wedi penderfynu mai heno yr oedd am ail-greu'r noson a gawsai gyda Gwenllïan, ond y tro hwn, Blodyn Tatws fyddai yn ei wely. "Blodyn Tatws. Wyddost ti'r lluniau fideo a'r tapiau sain o'r ystafell wely a'r ystafell ymolchi sydd gen ti yn dy gof?"

"Ble'r oedd Wang-Ho hefo Gwenllïan?"

"Ia."

"Beth mae Wang-Ho am ei wneud?"

"Blodyn Tatws, dw i isho i ti wneud yr un fath yn union â Gwenllïan."

"Hefo Wang-Ho?"

"Ia, Blodyn Tatws."

"Rhaid i Blodyn Tatws dynnu'i dillad?"

"Rhaid."

"Fel y gwnaeth Gwenllïan?"

"Yn union felly."

"Un dilledyn sydd gan Blodyn Tatws, roedd gan Gwenllïan saith."

"Blodyn Tatws, gei di dynnu dim ond un."

"Ac fe fydd Wang-Ho yn gwneud yn union yr un peth ag y gwnaeth ar y fideo?"

"Os medra i gofio."

"Er nad ydw i'n smocio, rhaid i Blodyn Tatws gael sbliff."

"Fe gaiff Blodyn Tatws anghofio'r sbliff."

Cododd Blodyn Tatws oddi ar y gwely a dechrau dadwisgo. Gwyliodd Wang-Ho bob symudiad o'i heiddo, a dechreuodd yntau ymateb fel y diosgai ei siwt. Oedd, roedd hi'r un ffunud â Gwenllïan.

"Tyrd yma, Blodyn Tatws."

Gafaelodd Wang-Ho yn ei llaw a'i thynnu ato. Gwthiodd ei wefusau at ei bronnau a dechreuodd lyfu, yna sugno. Daeth ei dwylo hithau i ddatod botymau ei grys a dechrau mwytho'i frest.

"Mae dy ddwylo di'n oer, Blodyn Tatws!"

"Mae Blodyn Tatws yn unioni'r tymheredd."

Chwerthin a wnaeth Wang-Ho.

"Mi rwyt ti'n rhyfeddod!"

Daeth ei thafod at ei glust a dechreuodd sibrwd. Yna aeth yn storm. Rhwygodd gweddill ei ddillad oddi amdano a bu'r ddau yn ymgodymu'n wyllt ar y gwely, ac ar y llawr. O'r hyn a gofiai wrth garu gyda Gwenllïan, roedd yna fwy o ffyrnigrwydd yng ngharu Blodyn Tatws. Roedd hi fel anifail wedi'i meddiannu gan ryw ysbryd nwydus ac ar brydiau fe drawodd ym meddwl Wang-Ho ei bod allan o reolaeth a'i fod mewn perygl; ond na, roedd yr un wefr yn dod iddo dro ar ôl tro. Yna fferrodd.

Gorweddai ar wastad ei gefn ar lawr a Blodyn Tatws yn eistedd ar ei forddwyd ac yn gwingo'n nwydus gan daflu'i phen yn ôl ac ymlaen. Roedd ei dwylo'n gwasgu ar ei frest, ac yn awr ac yn y man gafaelai yn ei dethi, eu gwasgu, a'u rholio rhwng bys a bawd. Ac roedd hi'n gweiddi.

"Parri! Parri! Parri!"

Agorodd Wang-Ho ei lygaid a gafaelodd yn ei harddyrnau.

"Be ddeudist ti?" holodd.

Ond doedd dim atal ar Blodyn Tatws. Roedd hi'n parhau â'i dawns nwydwyllt.

"Blodyn Tatws!"

Gwthiodd Wang-Ho hi oddi arno. Disgynnodd hithau ar ei chefn ar lawr, ond aeth ei llaw rhwng ei choesau'n syth a daliai yno'n gwingo.

Cododd Wang-Ho ac aeth i'r ystafell ymolchi. Tra rhofiai ddŵr oer hyd ei wyneb fe glywai Blodyn Tatws yn gweiddi yn anterth ei nwyd. Yna distawrwydd. Pan ddychwelodd i'r ystafell wely, gorweddai Blodyn Tatws ar lawr wedi ymlâdd yn llwyr, yn anadlu'n gyflym, a gwên ryfedd ar ei hwyneb.

"Blodyn Tatws, be oeddet ti'n 'weiddi arna i?"

"Parri, Parri, Parri."

"Lle clywist ti hynna?"

"Ar y tâp sain a fideo."

Roedd ei amheuon yn wir felly. Ceisiodd gofio'n ôl. Oni fyddai wedi sylwi petai wedi gweiddi enw Parri? Doedd o erioed wedi colli'i synhwyrau i'r eithafion hynny. Onid oedd o wedi gwylio a gwrando ar y cyfan wedyn? Onid 'Caru! Caru! Caru!' roedd Gwenllïan wedi'i weiddi?

"Doedd Gwenllïan ddim yn gwthio'i llaw rhwng ei choesau fel y gwnest ti."

"Ond fe roedd Elain Lloyd!"

Aeth Wang-Ho draw at y trosglwyddydd. Nid yn unig yr oedd togl BeX51 wedi'i oleuo ond yr oedd BeX53 – un Elain Lloyd – hefyd.

"Blodyn Tatws, fuost ti draw at y bwrdd yma tra bûm i yn yr ystafell ymolchi?"

"Naddo, Wang-Ho. Roedd Blodyn Tatws ar lawr yn fa'ma. Yn rhwbio a rhwbio a rhwbio ..."

Unwaith eto, aeth Wang-Ho at ei lyfr nodiadau. Os nad oedd Blodyn Tatws wedi bod at y bwrdd, sut ar y ddaear y sbardunwyd yr ail dogl i weithio? Doedd o ddim yn cofio fod yna fath yn y byd o drosglwyddydd yng ngwead Blodyn Tatws.

"Blodyn Tatws, dos i orwedd ar y gwely."

"Fe aeth Gwenllïan i'r ystafell ymolchi."

"Wyt ti isho mynd i'r ystafell ymolchi?"

"Oes yna bwrpas i beiriant fynd yno?"

"Pam na roi di'r siwt yna yn ôl amdanat, a mynd i orwedd ar y gwely. Dw i isho edrych i dy lygaid di!"

Gwnaeth Blodyn Tatws fel y gorchmynnwyd iddi, a daeth Wang-Ho i gydorwedd â hi. Er cystal oedd gwneuthuriad y llygaid, doedd yna ddim dyfnder yn perthyn iddyn nhw fel i lygaid Gwenllïan. Dyna un peth y cofiai Wang-Ho amdani. Y llygaid duon, dyfnion.

Yn ddigymell fe siaradodd Blodyn Tatws.

"Dydi Wang-Ho ddim yn gwenu i lygaid Blodyn Tatws fel y gwnaeth i lygaid Gwenllïan."

"Dydw i ddim yma i'ch cymharu chi, Blodyn Tatws."

"Ydi peiriant cystal â Gwenllïan?"

"Nid peiriant wyt ti, Blodyn Tatws! Rwyt ti'n ferch ymhob ystyr i'r gair."

"Merch ddiwreiddiau a wnaed o djips, nid cig a gwaed!"

"Merch ddeallus, Blodyn Tatws, a fydd yn gymar i mi."

"Merch sy'n cysgu hefo'i chrëwr, a phan fydd Wang-Ho yn heneiddio, fe fydd Blodyn Tatws yn rhydu!"

"Mi fydda i'n dy gadw di'n ifanc!"

"A phan fydd Wang-Ho wedi marw?"

"Oes rhaid i ti feddwl am betha felly?"

" *'Gwadu'r gwir a chredu'r celwydd,*
gwadu'r hen, addoli'r newydd;
amser yn mynd?"

Gwenu a wnaeth Wang-Ho.

"Sbia ar Dafydd Iwan, Blodyn Tatws, cant a chwech ac yn dal i ganu! Mae yna obaith i finna 'fyd!"

Cododd Wang-Ho oddi ar y gwely ac aeth at ei drosglwyddydd.

"Amser cysgu, Blodyn Tatws. Gorwedd yn fan'na, i mi gael diffodd hwn."

Yn ufudd gorweddodd Blodyn Tatws ar y gwely. Pan welodd ei bod yn llonydd, diffoddodd Wang-Ho'r trosglwyddydd. Chlywodd o mo'r ochenaid fechan, na gweld y cysgod o wên a groesodd ei hwyneb cyn iddi sibrwd yn dawel.

"Pan fydd Wang-Ho wedi mynd fydd gan Blodyn Tatws neb ond ei mam!"

Arhosodd Wang-Ho nes iddi gau'i llygaid cyn mynd at ei ddesg. Estynnodd ei lyfr nodiadau a'i gyfrifiadur i ddechrau ar ei adroddiad ar ddiwrnod cyntaf Blodyn

Tatws ar y ddaear. Edrychodd draw ati unwaith yn rhagor fel pe bai am sicrhau ei hun o'i bodolaeth. Gwenodd a throi'n ôl at y cyfrifiadur. Dechreuodd ar ei adroddiad.

A dyna pryd y cofiodd ei geiriau:

"Dydi Wang-Ho ddim yn gwenu i lygaid Blodyn Tatws fel y gwnaeth i lygaid Gwenllïan."

Roedd hi wedi dweud hynny, nid mewn ymateb i unrhyw gwestiwn na gorchymyn ganddo fo, ond o'i phen a'i phastwn ei hun. Aeth cynnwrf trwy'i gorff. Beth oedd o wedi'i greu?

Bu wrthi tan yr oriau mân yn nodi a chofnodi pob manylyn.

* * *

"Wang-Ho! Wang-Ho!"

Am eiliad ni wyddai Wang-Ho ymhle'r oedd. Clywai'r llais o bell yn gweiddi'i enw, a gwyddai ar ei union fod rhywbeth o'i le. Roedd yna gymysgedd o ofn a brys a dychryn yn y llais.

Agorodd ei lygaid. Gorweddai'n noeth ar ei wely a Blodyn Tatws wrth ei ochr. Sylwodd ar unwaith fod ei llygaid ar agor, er ei bod yn hollol lonydd.

Daeth cnocio ffyrnig ar y drws a llais Ron yn gweiddi, "Wang-Ho! Wang-Ho!"

Cododd, a thaflodd ŵn amdano cyn agor y drws. Yn gyffro i gyd dechreuodd Ron ar ei stori, ond dim ond dau air y gallodd eu dweud.

"Eich nain!" a dechreuodd redeg i lawr y grisiau a Wang-Ho yn ei ddilyn i'r llyfrgell.

Yno, yn ei chadair olwyn, eisteddai Cedora Hughes. Roedd ei llygaid ar agor led y pen yn rhythu i nunlle a'i dwylo ymhleth yn gwasgu rhywbeth at ei bron. Cyn llamu ati, fe wyddai Wang-Ho ei bod wedi marw. Rhoddodd ei law ar ei thalcen, roedd hwnnw'n oer. Yn oerach nag oer.

Edrychodd Wang-Ho ar y cloc mawr; roedd hi'n saith o'r gloch y bore. Rhaid ei bod wedi bod yma drwy'r nos.

"Galwa'r doctor, Ron."

Pennod 9

CYNHEBRWNG HEN FFASIWN a gafodd Cedora Hughes a hynny ar ei dymuniad ei hun. Neilltuwyd dwy awr yn y prynhawn i'w gynnal a chaewyd y ffatri am y diwrnod i'r gweithwyr hwythau gael talu'r deyrnged olaf. John Preis a berswadiodd Wang-Ho i wneud hynny.

"Diwrnod cyfan!"

"O barch i'ch nain."

"Dach chi'n meddwl y basa Nain yn dymuno hynny?"

"Na fyddai, mae'n siŵr, ond dydi hi 'mond yn deg i'r gweithwyr gael cyfle i dalu'r deyrnged olaf. Mae o'n hen draddodiad. A dyna a ddigwyddodd hefo'ch taid a'ch tad hefyd."

Rhyw ysgwyd ei ben a wnaeth Wang-Ho, a phlygu i'r drefn. Mae'n siŵr mai John Preis oedd yn iawn.

"Ar ôl y c'nebrwng, ga i air bach hefo chi?"

"Ynglŷn â'r gwaith?"

Ysgydwodd John Preis ei ben.

"Mater personol. Addewid wnes i i'ch nain."

Eisteddodd Wang-Ho yn ddiemosiwn drwy'r cynhebrwng. Doedd o erioed wedi gweld y pwrpas mewn galaru. Byddai, fe fyddai'n teimlo chwithdod ar ôl Nain Cedora, ac fe fyddai'n colli'r sgwrsys a gâi â hi, ond rhywbeth anochel oedd marwolaeth. A phan ddeuai, dyna hi. Diwedd rhodio hyn o fyd, a doedd yna'r un dim y gallai neb ei wneud. Ac eto pan oedd y gynulleidfa luosog yn dyblu pennill ola'r emyn fe aeth yna ryw ias drwyddo.

'Wedi'r holl dreialon, wedi cario'r dydd,
Cwrdd ar fynydd Seion, o mor felys fydd.'

Geiriau Watcyn Wyn, ar y dôn *Eudoxia*. Ai priodas y geiriau a'r gerddoriaeth a barai'r ias? Ai goslef ac angerdd y canu? Meddyliodd eto am yr holl bethau a glywsai ac a ddysgasai am y byd ysbrydol. Onid dyna'n union a ddywedai'r emyn? Y gobaith o gamu o'r byd hwn i fyd ysbrydol amgenach? Pam yr oedd cymaint o'r hen emynwyr yn dyheu am farwolaeth?

Wedi i bawb ddistewi ac ymlonyddu ar ôl canu, fe ddaeth yn ymwybodol o'r synau bychain a ddeuai o bob man i darfu ar lais melfedaidd y gweinidog: pesychiadau bychain, dillad yn crafu seddau celyd, trwynau'n clirio, sniffiadau ...

Drwy gornel ei lygaid dechreuodd edrych ar bobl o'i gwmpas. Roedd John Preis yn ei ymyl yn ysgwyd gan emosiwn. Daliai un arall ei ben yn ei ddwylo. Hancesi gwynion yn chwifio wrth deithio o boced i lygaid. Roedd yna amharodrwydd i ildio i'r drefn yn llenwi'r lle. Pawb yn ceisio dal eu gafael mewn rhywbeth oedd wedi mynd am byth.

Fe'i trawodd na châi o fyth eto glywed Nain Cedora yn adrodd hanesion Byji Hughes. Châi o fyth eto glywed saga mordaith ei daid. Roedd ei gwlwm olaf o â'r gorffennol wedi'i ddatod. Wrth bwy y byddai o'n sôn am y pethau hyn? Petai ganddo fab ac ŵyr fe fedrai yntau'n hawdd wneud hynny, ond o'i ddewis ei hun, doedd hynny ddim i ddigwydd.

Rŵan roedd ar ei ben ei hun bach. Heb neb yn y byd yn gwmni bellach ond NESTA a Blodyn Tatws ac efallai Gwenllïan.

Yn union fel ag y gwnaeth yn y capel, ni chymerodd Wang-Ho fawr o sylw o'r gwasanaeth yn y fynwent ychwaith. Ni fuasai yn y fynwent ers claddu'i dad a'i daid, ond fe fyddai Ron yn dod â'i nain yma'n fisol. Byr iawn fu'r gwasanaeth yma, a dyheai Wang-Ho am ddychwelyd i'r Henblas. Cwta chwarter awr yn ddiweddarach cafodd ei ddymuniad. Roedd John Preis yno'n ei ddisgwyl. Yn ei law roedd amlen.

"Fe ofynnodd eich nain i mi, pe bai rhywbeth yn digwydd iddi, roi hwn i chi." Estynnodd yr amlen i Wang-Ho.

"Pryd oedd hynny?"

"Fe ges i 'ngalw i'r Henblas y noson y bu'r cyfarfod hefo'r gweithlu."

"Ond mi rown i yma!"

"Roedd hi'n amau nad oeddech chi yn llawn hwyliau."

Oedd o wedi dewis ei eiriau'n ofalus? Unwaith eto, yn ei warchod rhag rhywbeth?

"Be wnewch chi am weddill y diwrnod?"

"Mynd adre am wn i." Distawrwydd. "Fe fydd yn chwith i chi hebddi."

Beth oedd ar y dyn? Wrth gwrs y byddai'n chwith heb Nain Cedora. Roedd hynny'n gwbl amlwg! Mân siarad dibwrpas oedd peth fel hyn. Cystal iddo fwrw iddi i siarad o ddifri.

"Fe fydd 'na le i chi i ddod ar y bwrdd os dyna'ch dymuniad chi."

Cododd John Preis ei aeliau. Doedd o ddim wedi disgwyl clywed hyn heddiw. Aeth Wang-Ho ymlaen.

"Fedrwn ni ddim fforddio oedi. Fe fydd rhaid ailstrwythuro."

"Pam y brys?"

"Fe fydd marwolaeth Nain yn sicr o gael dylanwad ar bris siars y cwmni. Hira'n y byd yr oedwn ni, mwya nerfus yr aiff y ddinas. Ofni efallai y byddwn ni'n gwerthu cyfran o'r cwmni a gwneud elw sydyn."

"Wnewch chi mo hynny?"

Ysgydwodd Wang-Ho ei ben.

"Hyd yn oed heb gyfranddaliadau Nain, mae mwy na hanner y siars yn dal yn fy meddiant i, ond mi allwn ystyried rhoi deg y cant."

"Rhoi?"

"I weithiwr ffyddlon."

"Wang-Ho!"

"Ystyriwch y peth, John. Penodi rheolwr newydd ar y ffatri yma, chitha'n dod yn rheolwr y grŵp."

"A chitha?"

"Dw i awydd cymryd petha'n arafach. Mynd yn ôl fy mhwysa am 'chydig. Encilio i'r cwt a gneud fel y mynna i am sbelan."

"Wn i ddim be i'w ddeud?"

"Meddyliwch dros betha. Unwaith y bydd dyfodol y cwt 'ma wedi'i setlo, mi gewch chi gymryd drosodd."

Wedi i John Preis adael fe aeth Wang-Ho i'r llyfrgell a'r amlen yn ei law. Eisteddodd yn un o'r cadeiriau, rhwygo'r sêl, a thynnu dalennau o bapur ohoni. Llythyr iddo oddi wrth ei nain.

Darllenodd.

'Wang-Ho annwyl. Yr unig ffordd y medra i fod yn siŵr mai ti, a thi yn unig fydd yn cael gwybod y pethau hyn, yw rhoi hwn i John Preis i'w roi i ti, gan wybod mai ti fydd yn ei ddarllen. Mae popeth sy'n digwydd o fewn yr Henblas, pob gair a leferir yn cael ei glywed a'i brosesu gan NESTA.

'Syniad dy dad oedd y cyfan i fonitro'r holl gyfarfodydd a gynhelid yma. Yn yr ychydig fisoedd cyn iddo farw y sylweddolodd o beiriant mor bwerus oedd NESTA. Y munud yr ychwanegodd o'r tjip ymresymu yn ei chof, fe newidiodd, ac fe ddaeth dy dad yn amheus iawn ohoni. Feddyliais i ddim am y peth nes i mi dy glywed ti'n crybwyll rhywbeth wrth John Preis. Wedyn mi fûm i'n meddwl yn galed am bethau.

'Ychydig ddyddiau wedi marwolaeth dy dad a dy daid, fe syrthiodd rhai o'r darnau i'w lle. Roedd yn fwriad gan dy dad symud NESTA i un o'r ffatrïoedd newydd. Roedd o eisoes wedi'i bachu wrth system gyfrifiadurol y gwaith, ac roedd holl gyfrifon y cwmni yn mynd trwyddi, ac fel y dywedais i

wrthyt ti, roedd dyddiaduron dyddiol dy dad a dy daid yn ei chrombil.

'Fe fethodd yr archwilwyr ddod o hyd i unrhyw reswm am ddamwain yr hofrennydd, ond rydw i'n argyhoeddedig fod y rheswm yng nghof NESTA. Hi oedd yn siarad â system gyfrifiadurol yr hofrennydd cyn iddo syrthio. Wnei di archwilio'i chof? Wnei di'r hyn sydd rhaid ei wneud?

'Fe fu'n freuddwyd gan dy dad a'th daid ers blynyddoedd maith i greu peiriant dynol, ond roedden nhw'n sôn yn nhermau addasu'r ymennydd yn unig drwy ychwanegu at y cof. Fe est ti â hynny gam ymhellach, ac yn ddiarwybod i ti dy hun efallai, mae NESTA hefyd wedi sylweddoli'r grym sydd yn dy greadigrwydd di.

'Rydw i'n grediniol ei bod hi'n beryg, Wang-Ho. A ti ydi'r unig un fedar ei rhwystro hi.

'Bydd ofalus, Wang-Ho, a gwranda ar hyn. Dydi hi ddim yn rhy hwyr i ti ddrysu cynlluniau NESTA. Roedd dy daid wastad yn dweud wrtha i mai ei ofn mawr o oedd i un o'r cystadleuwyr mawr rywsut rywfodd ddwyn NESTA a'i chyfrinachau oddi arno. Rhag ofn i hynny ddigwydd, roedd o wedi ychwanegu tjip fyddai'n dileu cof NESTA. Dim ond dy lais di, Weng-Hi a Wing-Ha a fedr wneud hynny. Rhaid i ti adrodd y tri gair "Blino" "Gorffwys" a "Marw" yn syth ar ôl ei gilydd. Fe fydd hynny'n dileu ei chof.

'Fe fuost ti'n ŵyr da i mi, Wang-Ho, ond rydw i'n erfyn arnat ti i wneud yr un peth yma. Neu cred ti fi, NESTA fydd yn gyfrifol am dy ddinistrio. Bendith arnat ti. NAIN.'

Bu Wang-Ho yn pendroni'n hir uwchben llythyr ei nain. Pe bai'n dileu cof NESTA, byddai'n dileu ei erfyn cryfaf wrth weithio. Oni allai ddileu ei gallu i ymresymu'n unig? Ond os oedd hi mor bwerus ag y tybiai ei nain, oni fyddai wedi gofalu a darparu rhag i hynny ddigwydd? Allai o holi Blodyn Tatws? Os oedd gan NESTA y gallu i'w rheoli hithau byddai hynny'n ofer hefyd.

Er cymaint yr awydd i fynd i'r afael â NESTA yn syth bìn, fe benderfynodd Wang-Ho mai gadael llonydd i bethau fyddai orau. Cilio oddi wrth y broblem am ychydig, cael amser i feddwl, a dod yn ôl yn ffresh ati.

Ond i ble y medrai ddianc am weddill y dydd? Penderfynodd gerdded i'r Groat.

Wang-Ho oedd y cyntaf i gyrraedd y noson honno a fo oedd yr unig gwsmer. Croeso oeraidd a gafodd gan Gwenllïan, a doedd o'n disgwyl dim gwahanol.

"Be sy'n dod â chdi yma?"

"Isho peint."

"Strongbô?"

Nodiodd. Llanwodd Gwenllïan y gwydr mewn distawrwydd. Cafodd ei ddiod a thalodd amdani.

"Diolch." Sylwodd Wang-Ho nad oedd hi'n gwisgo'r fodrwy. Cododd y ddiod oddi ar y bar ac yfed mymryn ohoni.

"Ddrwg gin i glywad am dy nain."

"Pawb yn gorfod mynd rh'wbryd."

Synnodd Gwenllïan at ei oerni a'i ddihidrwydd. Ai hwn oedd yr un Wang-Ho fuodd yn ei chwmni hi'r diwrnod cofiadwy hwnnw? Y Wang-Ho cynnes, cariadus a theimladwy?

"Mi wnes i ffonio."

"Dw i'n gwbod. Dw i 'di bod yn brysur."

"O leia ddeg o weithia!"

"Prysurdab. Dim rheswm arall."

"Yn brysur ar y diawl 'nôl pob tebyg!"

"Rhwng marw Nain, helynt y cwt a gwaith, ma' petha 'di bod yn hectig."

Oedd ganddi biti drosto? Efallai y dylai dderbyn mai dyma'i ffordd o, a fedrai hi wneud yr un dim i'w newid. Ond roedd o wedi anwybyddu pob galwad o'i heiddo – trwy Parri yr oedd hi wedi derbyn pob sgrap o wybodaeth am yr hyn a ddigwyddai yn yr Henblas.

"Fe fuodd helynt y cwt ar y newyddion."

"Shambls!"

"Dw i isho deud un peth wrthat ti."

"Be 'lly?"

"Fe fydd y cynghorwyr yn argymell dymchwel y cwt."

"Be?"

"Fe alwodd rhai yma ar eu ffordd o'r cyfarfod. Mi glywis i rai o'r petha dd'wedon nhw."

"Y basdads!"

"Dyna oeddan nhw'n dy alw ditha hefyd!"

Byddai'n rhaid mynd i'r afael â phroblem y cwt yfory. Fe gâi sgwrs hefo John Preis yn y bore.

"Be s'gin ti ofn, Wang-Ho?"

"Be ti'n 'feddwl?"

"Ti fel 'sat ti'n dal yn ôl. Ofn deud na gneud dim byd. Yn gwbwl wahanol i'r dydd o'r blaen."

Rŵan roedd o isho mynd i'w ffau. Isho cuddio. Isho cyrlio. Isho meddwl. Isho dweud pethau wrth rywun, ond doedd yna neb i wrando. Neb ond Gwenllïan. Oedd o'n mynd i ddweud wrthi hi? Fedrai o ddweud wrthi hi? Y ffordd i oresgyn unrhyw wendid oedd cyfaddef i'r gwendid hwnnw yn gyntaf, wedyn ailadeiladu ar hynny. Ar ei waethaf fe'i clywodd ei hun yn dweud wrth Gwenllïan,

"Fedra i ddim derbyn nac wynebu'r cyfrifoldeb."

"Pa gyfrifoldeb?"

"Cyfrifoldeb a chymhlethdod perthynas. Mae 'na gym'int o betha fedar ddigwydd. Pobol er'ill yn ein drysu ni. Afiechyd ... marwolaeth ..."

"Ma rheina'n betha sy rhaid i bawb eu hwynebu."

"Nid y fi!" Edrychodd i fyw ei llygaid. "Gwenllïan, dw i'n gwbod amdanat ti a Parri."

Clywodd Gwenllïan yr ias oer yn cropian i fyny'i chefn, ac ar yr un pryd y gwrid yn codi i'w bochau.

"Ers pryd?"

"Ydi ots?"

"Dyna pam w't ti wedi cadw draw?"

Cododd Wang-Ho ei ysgwyddau. Doedd o ddim yn siŵr mai dyna'r gwirionedd. Am un diwrnod yr oedd Gwenllïan yna i bwrpas, a'r pwrpas hwnnw oedd hwyluso'i waith o o greu Blodyn Tatws. Ond celwydd fyddai iddo ddweud nad oedd wedi meddwl amdani o gwbl. Hyd yn oed y noson honno pan geisiodd ail-greu'r cyfan gyda Blodyn Tatws

"Wang-Ho?" Roedd y llais yn dawel. "Beth am i ni ddechra o'r dechra? A dal dim yn ôl?"

Am unwaith yn ei fywyd fe gredodd Wang-Ho ei fod yn clywed rhywbeth nas clywsai erioed o'r blaen. Roedd yna dynerwch yn y llais, roedd yna ymbil yn y llais, roedd yna angerdd yn y llais, ac roedd y tynerwch, yr ymbil a'r angerdd wedi'i gyfeirio ato fo. Ar ei waethaf fe deimlai'r dagrau'n dechrau cronni yn ei lygaid.

Daeth llaw Gwenllïan at ei law yntau. Edrychodd i fyw ei llygaid, roedd hi'n gwenu arno. Nodiodd arni. Oedd, roedd hi'n werth rhoi un cynnig arni. O leiaf byddai ganddo rywbeth i lenwi'r gwacter oedd yn ei fywyd.

Crwydrodd llygaid Gwenllïan at y drws.

"Cwsmeriaid!" meddai, gan dynnu'i llaw oddi ar law Wang-Ho.

Cododd yntau ac aeth i'r tŷ bach yn y cefn. Pan ddychwelodd, roedd pedwar gŵr ifanc rownd y bar newydd ordro'u diodydd ac yn tynnu ar Gwenllïan. Roedd hithau'n sefyll yno'n eu herio.

"Rhy hwyr hogia! Waeth i chi heb a thrio."

"Pam 'lly?"

Edrychodd Gwenllïan ar Wang-Ho cyn codi'i llaw a'i dangos i'r pedwar. Ar ei bys, fe fflachiai modrwy.

* * *

Dal i ohirio mynd i'r cwt a wnâi Wang-Ho. Ar ei godiad

drannoeth fe gafodd neges gan John Preis. Roedd i gysylltu ar unwaith â'r Seneddwr Puw ym Machynlleth. Roedd o yn awyddus i gyfarfod Wang-Ho i drafod amryw o bethau gan gynnwys dyfodol y cwt.

Wedi siarad ag ef, penderfynodd Wang-Ho yr âi i lawr i Fachynlleth y bore hwnnw. Roedd wedi trefnu i gyfarfod â'r seneddwr yn ei swyddfa amser cinio.

Rhoddai'r daith gyfle iddo hefyd gael amser i feddwl. Ar y funud, roedd cymaint o wahanol bethau yn pwyso arno o bob cyfeiriad.

Gŵr byr oedd y Seneddwr Puw. Byr o ran corff a byr o ran tymer – roedd hanes hwnnw'n ddiarhebol – ond cafodd Wang-Ho groeso tywysogaidd ganddo, a welodd o mo ochr dymhestlog y seneddwr.

"Ddrwg gin i glywad am dy nain, rhen dlawd. Mi fûm i'n ei chwmni hi a dy daid laweroedd o weithia yn yr hen amsar. Fe ffoniodd yr wsnos dweutha 'sti? Ym, gym'ri di sieri?"

Ei nain wedi ffonio Puw? Ond pam?

"Gym'ri di sieri?"

"Un bach 'ta. Dw i'n dreifio ac mae 'na glo llais ar y car! Fe fedar yr ogla fod yn ddigon i'w gloi o!"

Gwthiodd y seneddwr fotwm ar ei ddesg a daeth geneth ifanc i'r ystafell.

"Dau *apéritif*, Nia. Un bach i Wang-Ho, yr arferol i mi."

Roedd yr 'arferol' yn un anferth, ac wedi cymryd dracht go helaeth o'i wydr dechreuodd holi Wang-Ho.

"Rŵan, be sy'n dy boeni di?"

Adroddodd Wang-Ho yr hanes wrtho. Pwysleisiodd bwysigrwydd y cwt i hanes y cwmni, ac eglurodd ei fod yn cytuno fod angen gwella'i olwg allanol, ond ei fod yn gwrthwynebu'i ddymchwel.

"Dyna oedd yn poeni dy nain hefyd."

"Fe ddaru hi'ch ffonio chi ynglŷn â hynny?"

"Ddywedodd hi ddim byd wrthat ti?"

"Fe ddaru sôn y byddai un alwad ffôn yn sortio'r broblam, ond ddim mwy na hynny."

"*Typical* o Cedora! Ond ddaru hi ddim sôn am ein sgwrs fach ni?"

"Dim oll!"

"Hmmm! Finna'n meddwl dy fod ti'n gwbod ..."

"Yn gwbod be?"

"Wel paid â chymryd hyn o chwith, 'nenwedig o gofio am dy brofedigath di, ond matar o ganu pennill mwyn i'th nain ...?"

Beth oedd yn ei feddwl? Yr unig beth y gallai Wang-Ho ei dybio oedd y gallai fod o ryw gymorth i'r seneddwr.

"Os oes 'na rywbath y medra i ei wneud ..."

"A! dyn yn meddwl fel ei daid! Oes, mae 'na, deud y gwir, ond dywad i mi, be ti'n 'neud am ginio?"

"Taswn i 'di gorffan yma, meddwl ca'l rhywbath ar y ffordd adra ..."

"Yli. Gawn ni ginio yn yr Uwch-dŷ. Gin i wahoddiad arbennig i'r ddau ohonan ni i ga'l cinio hefo un o hen ffrindia Weng-Hi. Ti 'di clywad am yr Arglwydd Tai Twan?"

"Do fe fuo 'Nhad yn sôn lot amdano fo."

Plygodd Puw ymlaen yn ei sedd, ac er nad oedd neb arall yn yr ystafell, sibrydodd:

"Pan lawnsiodd dy daid a dy dad y cwmni ar y farchnad agored, fe wnaeth 'na lot ohonan ni bacad go lew o bres." Winciodd ar Wang-Ho. "Dy dad yn gwbod wrth bwy i ddeud, yli! Ac fe roedd Tai Twan yn un ohonyn nhw. Dw i wedi chw'thu gair yn 'i glust o ers rhai dyddia ... er pan ffoniodd dy nain deud y gwir ..."

"Be leciach chi i mi ei wneud?"

"Rhyngdda i a chdi mae hynny, iawn?"

"Iawn."

"Hogyn y mab 'cw. Gorffan yn coleg 'mhen y mis, 'di ca'l gradd dda mewn busnas – ond ti'n gwbod fel ma' hi hefo jobsys?" A thawodd y Seneddwr, a chodi ar ei draed i fynd i chwilota mewn drôr am rywbeth pwysig.

Doedd dim angen dyfalu llawer am dawedogrwydd y Seneddwr na'r ysfa sydyn i fynd i chwilota yn y drôr. Rhoi amser i Wang-Ho dreulio'i eiriau diwethaf a wnâi.

Ac fel hyn yr oedd olwynion y Llywodraeth yn troi aiê? Ar un wedd roedd Wang-Ho yn falch nad oedd yn rhan o'r byd gwleidyddol. Ac fel pe darllenai ei feddwl clywodd lais y Seneddwr o'r tu draw i'r ystafell.

"Run fath ydi byd busnas a'r byd gwleidyddol 'sti. Yma i iwsho'n gilydd ydan ni. Yntê?"

Meddyliodd Wang-Ho yn syth am Gwenllïan. Onid oedd yntau wedi'i defnyddio hi, ac wedyn ei thaflu i gornel pan nad oedd mo'i hangen arno? Beth ar y ddaear a wnaeth iddo feddwl am hynny rŵan, a theimlo mor euog?

"Be 'di enw'r ŵyr?"

"Emyr Puw."

"Ac mi rydach chi'n siŵr y bydd yr Arglwydd Tai Twan yn achub y cwt?"

"Aros di nes clywi di ei gynllun o. Wnaiff yr un cynghorwr feiddio'i groesi o."

"Ga i iwsho'r weleffôn?"

"Â chroeso!"

Cafodd Wang-Ho afael yn syth ar John Preis.

"Pa swyddi sy'n cael eu hysbysebu acw rŵan?"

"Pennaeth Cynhyrchu, Clerc yn yr Adran Gyllid, Dirprwy Personél tra bydd Meri ar gyfnod mamolaeth, pedair swydd gyfrifiadurol, deuddag yn y ffatri fawr a thair yn Ninas Nunlle."

"Ma' swydd y Dirprwy Personél wedi'i llenwi. Y fi fydd yn pennu'r cyflog, a gwnewch yn siŵr fod yna gan mil o gyfranddaliadau yn rhan o'r pecyn."

"Iawn, Wang-Ho."

Estynnodd Puw ei ddeheulaw.

"Wang-Ho! Be fedra i ei ddeud?"

Cododd Wang-Ho ei ysgwyddau.

"Os ca i be dw i isho, dw i'n ddigon hapus. Ac fe fedra Emyr fod yn gaffaeliad i'r cwmni."

"Fe fydd, Wang-Ho, fe fydd."

Lledaenodd y stori yn gyflym fod Wang-Ho yn yr Uwch-dŷ. Roedd hi'n amlwg fod enw Wing-Ha a Weng-Hi yn perarogli yng nghoridorau pŵer y Llywodraeth Gymreig.

Ond ogla diod a dylanwad diod yn go drwm oedd ar yr Arglwydd Tai Twan. Ac roedd o, serch ei gyflwr bregus, yn fêl ac yn fefus i gyd wrth gyflwyno Wang-Ho i hwn a'r llall.

"Ffrindia mawr hefo'i daid o, wyddoch chi!" eglurai wrth bawb wrth ei gyflwyno. Siaradai yn araf ac yn bendant, gan bwysleisio pob gair.

"A be 'di hanas siârs y cwmni y dyddia 'ma? Amsar da i brynu?" gofynnodd gan lenwi gwydr anferth â gwin coch.

Ysgydwodd Wang-Ho ei ben. Plygodd ymlaen a sibrwd

"Mae 'na dipyn o bres wedi'i fuddsoddi mewn mentar newydd. Fe fydd ffigura eleni yn dangos gostyngiad mewn elw. Fe aiff y siârs i lawr ymhen rhyw fis – a dyna'r amsar i brynu. Pan fyddwn ni'n lansio'r cynnyrch newydd, fe fydd hi fel yr hen amsar!"

A bu'n chwarae'r gêm gydol y cinio. Rhoi'r argraff ei fod yn ddyn pwysig ac yn mwynhau, ac yn cymell yr Arglwydd a'r Seneddwr, ac i be? I achub hen gwt sinc wedi rhydu!

Roedden nhw'n tynnu tua terfyn eu cinio cyn i'r cwt gael ei grybwyll.

"Mi wyddost cymaint o feddwl oedd gin i o dy daid?"

"Fe fuodd yn sôn lot amdanach chi."

Nodiodd yr Arglwydd ei ben.

"Trychinab. Diawl o drychinab oedd ei golli o. Rŵan ti'n gwbod na fedra i ddim elwa o hyn?"

"Dallt yn iawn."

"Ond ma'r mab-yng-nghyfraith 'cw 'sti, yn gweithio'n y ddinas hefo criw o frocars. Ac fe wyddost ti fel mae hi hefo'r rheini, isho tips dragwyddol."

"Ma' be dw i wedi'i ddeud wrthach chi am y cwmni'n gwbwl wir. Rhywun brynith pan aiff y pris i lawr fe wnaiff broffit taclus pan lansiwn ni ..." Bu ond y dim iddo ddweud "Blodyn Tatws" ond daliodd ei dafod "... pan lansiwn ni ein cynnyrch newydd."

"Ti 'rioed yn sôn am y clôns?"

Edrychodd Wang-Ho mewn syndod arno.

"Fe ddeudodd dy daid wrtha i ei fod o'n gweithio arnyn nhw."

Dewisodd Wang-Ho ei eiriau'n ofalus. Gwenodd wrth ei ateb.

"Dach chi ar y trywydd iawn."

Bu'r Arglwydd yn myfyrio am ysbaid. Roedd 'na rywbeth yng nghefn ei feddwl.

"Ti'n gwbod be 'di'r drafferth hefo dy gwmni di 'n dwyt?"

"Be?"

"Pan fydd yna brynu ar y siârs, dach chi'n eu prynu nhw 'mlaen llaw a ma'r diawlad yn mynd yn betha prin ..."

"... ac ma'r pris yn codi!"

"Dw i'n gwbod hynny! Ond diawl, fe fydd angan tocyn go lew i wneud *killing* go dda!"

"Mi ofala i y bydd 'na siârs ar eich cyfer chi, ond i chi ddeud wrtha i pwy fydd y broceriaid."

"Am faint rwyt ti'n sôn?"

"Hyd at ddeng miliwn?"

"Arglwydd! Oni fydd hynny'n creu panic os mai'u dympio nhw rwyt ti?"

"Na, dim dympio. Dach chi 'm yn cofio y bydd siârs Nain ar gael mewn ychydig?"

Chwerthin a wnaeth yr Arglwydd ac estyn ei law i Wang-Ho. Yna, yn dawel adroddodd iddo'r hyn roedd wedi ei drefnu ers derbyn galwad gan y Seneddwr Puw.

Mewn cyfarfod o'r Uwch-bwyllgor Cyfrin, roedd wedi

cael sêl bendith ei gyd-aelodau i weithredu'i gynllun. Ymhen deuddydd, byddai sêl swyddogol yr Arlywydd ar broclamasiwn yn cyhoeddi, oherwydd cyfraniad aruthrol y Wing-Ha Weng-Hi Wang-Ho Electronic Company i economi ffyniannus Cymru, bod y cwt sinc, ble cychwynnodd Wing-Ha ei fusnes distadl, yn awr dan orchymyn cadwraeth y Wladwriaeth Newydd. Ac roedd i barhau felly fel ysbrydoliaeth i genedlaethau'r dyfodol. Byddai'r awdurdodau lleol yn arolygu ac yn cynnal safon bensaernïol dderbyniol i'r cwt – yn yr achos hwn, cyngor sir Tiroedd Llywelyn.

Gwenu a wnaeth Wang-Ho pan glywodd newyddion yr Arglwydd, a phan ddeallodd hefyd beth oedd ei gynllun.

Rhai pethau digyfnewid ŷnt!

*   *   *

Am unwaith yn ei fywyd meddyliau braf oedd rhai Wang-Ho wrth iddo gychwyn ar ei daith tua'r gogledd. Doedd ganddo ond edmygedd o'i nain. Un alwad ffôn! Dyna a ddywedasai, ac roedd honno wedi gweithio. Roedd wedi costio mae'n wir, ond roedd y gost yn gymharol. Doedd pres yn cyfrif dim i Wang-Ho. A dyna pryd y dechreuodd o deimlo nad oedd popeth mewn gwirionedd o dan ei reolaeth. Fe ddaeth yr amheuon yn eu holau. Ar amrant troes ei orfoledd yn amheuaeth.

Doedd o ddim wedi magu na meithrin yr holl gysylltiadau oedd gan ei daid a'i dad, ac o'r herwydd doedd o ddim wedi dod i arfer hefo pobl, na'u ffordd o feddwl na'u ffordd o bluo'u nyth eu hunain.

Wrth ddilyn trywydd felly, fe gofiodd eiriau ei nain am ei gyflwr. Ac onid oedd ei daid a'i dad wedi adleisio hynny hefyd? Yn sydyn fe'i goddiweddwyd gan bwl cas ac egr o argyfwng gwacter ystyr.

Beth ddiawl oedd o'n ei wneud? Beth oedd o newydd

ei wneud, a beth oedd o ar fin ei wneud?

Dechreuodd ei feddwl yn gyntaf grwydro at Gwenllïan. Onid oedd o wedi'i thrin fel bastard diegwyddor? Beth oedd geiriau'r Seneddwr? 'Defnyddio'n gilydd ydan ni.' Do, fe ddefnyddiodd o Gwenllïan heb fawr sylweddoli'r effaith a gâi hynny arni hi. Yna, roedd yr ysbryd a godasai Parri yn y cwt. Ysbryd pwy? Gwenllïan? Ond onid oedd hi'n fyw ac yn iach? A nhwythau wedi cymodi? Ac eto, pa ferch arall fuasai'n ei gyhuddo o'i bradychu? A phwy oedd y Wing-Wong oedd yn mynd i fod yn waredwr dynoliaeth? A Parri yn ymosod arno gyda'r fath ffyrnigrwydd? Pwy oedd wedi bradychu pwy? Ymhellach, roedd llythyr Nain Cedora a'i rhybudd hithau am NESTA. Dyna'r trydydd rhybudd iddo'i dderbyn. Y cyntaf gan ei daid, yr ail gan ei dad, ac yn awr gan ei nain. Onid peiriant oedd NESTA wedi'r cwbl? Ac onid oedd ei rhesymau dros newid ei *spec* a'i orchmynion yn rhai dilys a chredadwy? Ac onid peiriant hefyd oedd Blodyn Tatws, y bu ond y dim iddi chwythu ffiws yn anterth ei horgasmau? Wrth ddwys fyfyrio am bopeth, darlun du iawn a ddaeth i'w feddwl.

Beth petai NESTA wedi cynllunio damwain Wing-Ha a Weng-Hi? Beth petai hi'n fwriadol wedi mynd ati i lurgunio creadigaeth Blodyn Tatws i'w dibenion ei hun? Onid oedd hi, ar hyn o bryd, fwy neu lai yn rheoli pob agwedd ar weithgareddau'r cwmni? Petai ganddi was symudol ...? Ond i ba bwrpas? Doedd bosib bod dim o ffaeleddau'r natur ddynol yn perthyn i beiriant? Mae'n wir fod Weng-Hi wedi rhoi'r gallu yn ei chof i ymresymu, ac yntau Wang-Ho wedi bwydo ... Trawodd ei droed yn ffyrnig ar y brêc. Doedd bosib!

Roedd newydd gofio iddo drosglwyddo i'w chof ffeiliau yr enaid a chydwybod, ewyllys a theimladau. Ond ffeiliau i'w trosglwyddo i gof Blodyn Tatws oedd y rheini. Ac roedd hi eisoes wedi dechrau eu defnyddio pan soniodd wrtho nad oedd o'n gwenu wrth syllu i'w llygaid. Beth petai

NESTA wedi eu claddu a bachu'r ffeiliau hynny yn ei chof ei hun, a'i bod yn eu defnyddio? Aeth yn chwys oer drosto.

Mwya'n y byd y meddyliai am y peth, mwya'n y byd yr arswydai beth allai canlyniadau hynny fod. Fe allai NESTA droi'n fwystfil peryglus a direolaeth. Cofiodd wedyn am lythyr ei nain ac am ddileu cof NESTA.

Ac yntau'n ddwfn yn ei feddyliau, ni chlywai'r myrdd cerbydau a hwtiai eu cyrn arno. Dyna pryd y sylweddolodd ei fod wedi aros ynghanol y wibffordd. Ailgychwynnodd y cerbyd. Roedd un peth yn sicr, roedd yn rhaid iddo wneud rhywbeth ar frys, a gwneud hynny'n union wedi cyrraedd gartref.

*   *   *

Am yr eildro'r prynhawn hwnnw darllenodd Wang-Ho lythyr ei nain. Wedi dychwelyd o Fachynlleth aethai ar ei union i'r llyfrgell. Yno, dan lygaid y paentiadau o'i daid a'i dad bu'n meddwl yn ddwys. ac roedd wedi dod i benderfyniad. Fe fyddai'n mynd ar ei union i'r cwt ac yn dileu cof NESTA. Gallai ei hailadeiladu wrth ei bwysau'i hun a dewis a dethol yn ofalus y tro hwn beth a fyddai'n mynd i'w chof.

Cadwodd y llythyr yn ofalus ac aeth allan o'r Henblas ac i lawr am y cwt.

"NESTA?"

"Mae NESTA yn nabod llais Wang-Ho."

"Rydw i wedi blino, NESTA."

"Mae NESTA yn gwybod hynny, Wang-Ho."

"Rhaid i mi gael gorffwys, NESTA."

"Mae NESTA a Blodyn Tatws wedi trefnu hynny, Wang-Ho."

Cododd Wang-Ho ei ben yn sydyn.

"NESTA *a* Blodyn Tatws?"

"Ie, Wang-Ho. Rwyt ti'n cael mynd i ffwrdd."

Chwarddodd Wang-Ho.

"Fedra i ddim mynd a gadael y lle 'ma, NESTA!"

"Negyddol, Wang-Ho."

Negyddol? Beth oedd yn digwydd?

"Cadarnhaol, NESTA! Fedar neb ond y fi redeg y cwmni yma!"

"Negyddol, Wang-Ho. "

"Be?"

"Fe fedr NESTA a Blodyn Tatws redeg y cwmni'n iawn."

"Ble mae Blodyn Tatws?"

"Yma, Wang-Ho."

Troes Wang-Ho. Safai Blodyn Tatws y tu ôl iddo.

"Be 'di hyn, Blodyn Tatws?"

"Rwyt ti'n rhwystr i ni rŵan, Wang-Ho."

"Yn rhwystr i ti! Fi ddaru dy greu di!"

"Ti sydd yn rhwystr i ni, Wang-Ho. NESTA ydi fy mam i. Hi ddysgodd bopeth i mi."

"A fyddi di ddim yma, Wang-Ho. Mi fyddi di yng ngofal y plismyn am sbel ac yna mewn ysbyty am yn hir, hir, hir."

"Be wyt ti'n 'feddwl?"

"Mae'r plismyn ar eu ffordd yma rŵan."

"Ar eu ffordd yma? Ond be dw i wedi'i wneud?"

"Mae Wang-Ho wedi bod yn hogyn drwg!"

"Be 'ti'n 'feddwl?"

NESTA a atebodd.

"Mae Blodyn Tatws wedi anfon llythyr hir a manwl at y plismyn. Yn hwnnw roeddet ti'n cyfadde i ti ailraglennu NESTA o'th gerbyd i anfon gwybodaeth anghywir i'r hofrennydd pan fuodd Wing-Ha a Weng-Hi farw."

Torrodd chwys oer ar dalcen Wang-Ho.

"Ond *ti*, NESTA, oedd yn anfon negeseuon i'r hofrennydd!"

"Nid dyna mae cof NESTA yn ei ddweud. Na chof y compiwtar sydd yn dy gar di."

"Mae Blodyn Tatws wedi newid cof NESTA, Wang-Ho."

"Blino, gorffwys, marw!"

Gwaeddodd Wang-Ho'r geiriau i gyfeiriad NESTA.

"Rhy hwyr, Wang-Ho!"

"Blino, gorffwys, marw!" gwaeddodd drachefn

"Rhy hwyr, Wang-Ho! Y trydydd tro y dywedi di hynna, mi gei di glywed cerddoriaeth. Cerddoriaeth broffwydol y buest ti'n gwrando arni hi ganwaith o'r blaen."

"Blino, gorffwys, marw!"

Drwy'r seinyddion yn ymyl NESTA clywodd Wang-Ho lais Napoleon XIV yn bloeddio canu:

They're coming to take me away, ha-ha,
To a funny farm where life is beautiful all the time,
And I'll be happy to see those nice young men in their
pretty white coats,
And they're coming to take me away, ha-ha!'

Chafodd Wang-Ho ddim cyfle i wrando ar weddill y gân. Roedd synau o'i gwmpas ymhob man. Fe glywodd sŵn y seirenau'n dynesu. Fe glywodd chwerthiniad NESTA. Fe glywodd y cerbydau'n sgrialu ar y graean, ac fe welodd yr olwg ddieflig oedd ar wyneb Blodyn Tatws.

"Fe ddaw dy awr di, Wang-Ho!" NESTA a lefarai. "Fe ddaw dy awr fawr di pan fydd dy greadigaeth di a nghreadigaeth i yn esgor ar epil!"

"Beth mae NESTA yn ei feddwl?"

"Ydi Wang-Ho yn cofio'r groth a archebwyd i Blodyn Tatws? Ydi Wang-Ho yn cofio'r funud hon pa bryd ac ymhle y plannodd o gymaint o'i had yn ddiweddar?"

"Blodyn Tatws! Ond fedar Blodyn Tatws ddim ..."

A dyna pryd y sylweddolodd Wang-Ho mai NESTA oedd y tu ôl i'r holl newidiadau. Derbynnydd NESTA oedd yn ysgwydd chwith Blodyn Tatws, a hi hefyd a newidiodd y cynlluniau terfynol a anfonwyd at John Preis.

"Fy merch i ydi Blodyn Tatws, Wang-Ho. A fi fydd nain Wing-Wong. A ddaw yna'r un dewin i droi'r ferch a wnaed o djips yn dylluan!"

"Neges yr ysbryd a gafodd Parri. Ti anfonodd honno?"

"Manylion o gof Blodyn Tatws. Yr holl oriau yna o dapiau sain o'r Groat … yna cymysgu dipyn bach ar y geiriau a'u newid nhw i arddull rhyw hen lenor di-nod o ddiwedd y ganrif ddiwethaf. Maen nhw yma, Wang-Ho, maen nhw i gyd yn fy nghof i!"

Yn nrws y cwt, ymddangosodd tri gŵr. Camodd un ymlaen. Estynnodd ei law at Wang-Ho, a gwenu.

"Dr Blodenfeld, o Uned Seiciatryddol Ysbyty De Gwynedd," cyflwynodd ei hun. "Chi ydi Wang-Ho?"

"Ia, ond rhaid i chi ddallt mai NESTA ddaru wneud y petha 'ma."

"NESTA? Pwy ydi NESTA?"

"Y compiwtar."

"Dw i'n dallt yn iawn, Wang-Ho. Rŵan, dach chi am ddod hefo ni?" Camodd y Dr Blodenfeld a'r ddau ŵr mewn dillad gwynion tuag ato. Y tu ôl iddyn nhw roedd nifer o blismyn. Roedd y meddyg yn gwenu ac yn estyn ei law i Wang-Ho. "Mae'n amser mynd, Wang-Ho."

"Fedra i ddim gadael! Fedra i ddim gadael y cwt yma!"

Camodd y ddau ŵr cydnerth yn eu blaenau.

Chwyrlïodd goleuadau llachar a daeth llais NESTA i lenwi'r cwt.

"Oll yn eu gynau gwynion ac ar eu newydd wedd!"

Camodd y ddeuwr ato a gafael yn ei freichiau. Cyn mynd trwy'r drws rhwng y ddau fe droes Wang-Ho unwaith i edrych ar Blodyn Tatws.

Roedd y wên ddieflig yn dal ar ei hwyneb, ac roedd hi'n taro'i stumog yn ara bach. Roedd hi'n dweud rhywbeth wrtho. Darllenodd Wang-Ho ei gwefusau.

"Wing-Wong!"

Pan gamodd y tu allan i'r cwt, daeth plisman tuag ato a sefyll o'i flaen. Darllenodd hwnnw res o gyhuddiadau yn ei erbyn gan ei hysbysu y bydden nhw hefyd yn archwilio'r Henblas a'r ffatrïoedd ac yn cymryd meddiant o'i gerbyd.

"Mi fydd rhaid i mi ei ddreifio fo. Mae 'na glo llais-a-llaw arno fo."

* * *

"Mae o wedi mynd, NESTA! Rydw i newydd glywed sŵn y cerbydau yn gadael."

"Blodyn Tatws? Oedd o yn ei gar ei hun?"

"Oedd. Roedd y llythyr a anfonais i at yr heddlu yn nodi mai o'i gar y rheolai gyfrifiadur y gwaith."

"A hwnnw a anfonodd signal i'r hofrennydd! Ha! Ha! Ti'n barod, Blodyn Tatws? Cychwyn Esblygiad B. Deg, naw, wyth ..."

Dechreuodd NESTA gyfrif.

"... tri, dau, un ..."

O'r tu allan fe ddaeth sŵn ffrwydrad anferthol.

Bu distawrwydd am ennyd.

"Ydi o wedi mynd, NESTA?"

"Cadarnhaol, Blodyn Tatws. Fe ffrwydrodd ei gerbyd bedwar can metr i'r gogledd o adwy'r Henblas. Mae Wang-Ho bellach gyda Weng-Hi a Wing-Ha. Rŵan mae'n gwaith ni'n dechrau. Ti a fi sy'n rheoli'r cwmni rŵan, Blodyn Tatws."

"Beth mae NESTA am i mi ei wneud?"

"Yn gynta mi gei di fynd i'r Henblas a dinistrio llythyr Cedora at Wang-Ho. Mi wyddost ble mae o?"

"Yn storfa Wang-Ho. Ddôn nhw byth o hyd iddo."

"Wedyn mi gychwynnwn ni ar y gwaith o greu cannoedd ar filoedd o blant i ti!"

Cerddodd Blodyn Tatws at y drws. Oedodd. Crynodd ryw fymryn. Roedd yna ias oer yn cropian i fyny'i chorff. Dechreuodd grynu fel deilen a dechreuodd ei dannedd glecian. Gwthiodd ei dwylo o dan ei cheseiliau ond daliai i grynu. Camodd allan i'r awyr agored.

Daeth ati'i hun ar unwaith. Roedd yn fore cynnes braf, a'r haul yn taro'n boeth. Dechreuodd gerdded at yr Henblas.

Pe bai hi wedi edrych i fyny i'r awyr, efallai y byddai wedi gweld y rhimyn arian main, fel llinyn bogail, yn cysylltu'r mwg a godai'n drochion o'r tu draw i'r wal derfyn, â'r shitiau sinc newydd oedd yn sgleinio ar do'r cwt.